Perrault

Contes illustrés par

Doré

Le lecteur pourra découvrir l'intégralité des *Contes* de Perrault
illustrés par Gustave Doré et conservés à la Réserve des livres rares
de la Bibliothèque nationale de France sur Gallica : http://gallica.bnf.fr

http://editions.bnf.fr/

© Bibliothèque nationale de France
ISBN : 978-2-7177-2616-9

Perrault

Contes illustrés par

Doré

Préface
Marc Fumaroli
de l'Académie française

Présentation
Jean-Marc Chatelain
Directeur de la Réserve des livres rares

{BnF Éditions

Sommaire

Préface

J'ai longtemps pensé que la lecture naïve des *Contes* de Perrault, à l'intention des enfants, était la seule souhaitable. Avec les *Fables* de La Fontaine, c'était la plus délicieuse des lectures dans notre propre enfance, malgré les frissons que les unes et les autres nous faisaient souvent ressentir. Il n'y avait aucune raison de priver les nouvelles générations de ces « miracles de culture » qui avaient toutes les apparences d'improvisations naturelles. J'imagine que Disney et les jeux vidéo ont maintenant délogé Ésope et ma Mère l'Oye.

Le seul inconvénient du monopole enfantin longtemps réservé aux *Contes*, c'est le sort auquel il vouait le texte de Perrault : lu le plus souvent dans des versions réécrites et réduites « à la portée des enfants ». On se demande parfois si les tranche-montagnes de la Nouvelle Critique ont tenu compte de ce caviardage pavé de bonnes intentions, tant leurs lectures savantes furent peu soucieuses du détail, du « petit fait vrai » dont sont féconds les beaux et grands textes tels que ceux de Perrault.

Les *Contes* ont été écrits au moins autant pour un public adulte, et surtout le public féminin lettré, que pour un public enfantin, la « jivarisation » dont ils ont été si souvent la victime pour « convenir » à l'enfance, a empêché de les lire attentivement, dans leur texte intégral, destiné à un public littéraire apte à déchiffrer les sens seconds.

Cela n'a pas retenu les doctes du siècle dernier – folkloristes et psychanalystes – de coucher les *Contes* sur le lit de Procuste de leurs systèmes, avec un effet supplémentaire de schématisation et de réduction. Plus en veine de théorie que de lecture attentive, ces doctes modernes ont souvent pris pour cobaye les *Contes de ma Mère l'Oye* ou *Histoires et contes du temps passé*, publiés par Charles Perrault en 1697, sous le nom de son fils, Pierre Darmancour. De surcroît, peu en veine de chronologie, nos nouveaux critiques ont voulu ignorer la coïncidence entre cette publication de *Contes* se déclarant populaires et celle du dernier volume du *Parallèle des Anciens et des Modernes* (1688-1697), l'ouvrage où Perrault a défendu fort peu populairement, et dans tous les domaines du savoir, du savoir vivre et du savoir faire, la supériorité des Modernes sur les Anciens. Même aveuglement, chez ces doctes, envers la vive querelle qui venait d'opposer à Boileau et à sa satire *Contre les femmes* un infatigable Perrault, auteur, à quelque temps de là, d'une *Apologie des femmes*. Les fanatiques de « culture populaire » se dispensaient de voir et de montrer dans les *Contes* un chef-d'œuvre de culture féminine et moderne, apte à faire valoir plaisamment, auprès d'un nouveau public, aux dépens des Anciens et en marge du *Parallèle des Anciens et des Modernes*,

les progrès et les mérites sans précédent, tant moraux que matériels, du règne de Louis XIV, secondé par Colbert et par Perrault lui-même jusqu'en 1683.

L'apologie déployée dans le *Parallèle,* sous forme de dialogue entre gens de bonne compagnie, la politesse avec laquelle les interlocuteurs du dialogue échangent leurs arguments, montrent à quel point Perrault était soucieux d'orner et de rendre civil sur plusieurs registres le débat à ses yeux capital et qu'il avait inauguré, avec une provocation piquante, par le poème *Le Siècle de Louis le Grand* prononcé devant l'Académie française en août 1687, dix ans avant les *Contes.* Le registre des *Contes,* où il faisait se rejoindre des schèmes narratifs et naïfs surgis – ou qu'on pouvait croire surgis – de la nuit des temps, à la forme galante, moderne et mondaine la plus artiste et piquante qui soit, reprenait les mêmes thèmes apologétiques de la modernité Louis XIV, mais cette fois à l'adresse d'un public enchanté et unanime. L'un des trois interlocuteurs du *Parallèle* (t. II, 1692), le Chevalier, fringant partisan de la modernité, avait prophétisé avec cinq ans d'avance le recours décisif de Perrault, avocat des Modernes, aux contes de fées : « Ces chimères ont le don de plaire à toutes sortes d'esprits, aux grands génies comme au menu peuple, aux vieillards comme aux enfants ; bien maniées elles amusent et endorment les raisons quoique contraires à cette même raison, et la charment davantage que toute la vraisemblance imaginable. »

Dans sa préface des *Contes en vers* de 1694, Perrault fait observer que les contes de fées français suscitent la même *suspension of disbelief* que la fable gréco-romaine ; comme celle-ci, ils ont eu des débuts grossiers et barbares avant d'enchanter les lecteurs d'Ovide et d'Apulée ; les fées françaises avaient été d'aussi vulgaires sorcières que les antiques Gorgones avant d'évoluer en muses gracieuses. Mais il faisait remarquer combien la fable antique était moralement impure, alors que les contes modernes et chrétiens étaient plus édifiants. Ils étaient aussi les miroirs d'une société et de mœurs plus raffinées.

Perrault ne s'en est pas tenu, comme il l'annonce dans sa préface de 1696 au recueil des *Contes* en vers, à faire entrer une morale « plus agréablement dans l'esprit et d'une manière qui divertît et instruisît tout ensemble », jetant des semences « qui ne produisent d'abord que des mouvements de joie et de tristesse, mais dont il ne manque guère d'éclore de bonnes inclinations ». Cet allégorisme moral s'accompagne, surtout dans les huit *Contes* en prose publiés l'année suivante, d'un allégorisme historique : sans prétendre offrir une image utopique du règne de Louis XIV, ses « histoires du temps passé déploient, d'aperçu en aperçu, les grands progrès spirituels et matériels dont le roi et son administration ont pourvu le royaume contemporain. Arrachée à la barbarie, à l'immobilité, à la brutalité, la France chrétienne et moderne à été portée par son roi à un degré de civilisation supérieur aux grands siècles antiques et à la Renaissance italienne elle-même.

On n'a sans doute pas assez discerné la structure allégorique des *Contes,* structure qui leur permet de se dédoubler en un sens littéral de pure délectation narrative et en un sens second, sourdement polémique et apologétique, dans l'exacte continuité du *Siècle*, du *Parallèle,* de l'*Apologie des femmes* qui louent ouvertement les lumières des Modernes et du « siècle de Louis le Grand » et blâment, ou même tournent en dérision, l'aveuglement politique et l'immobilisme littéraire des Anciens.

On peut encore préférer la lecture naïve des *Contes.* Cependant, cette naïveté, en dernière analyse, n'était-elle pas un leurre déjà au XVIIe et au XVIIIe siècle, où les lecteurs, les Modernes d'alors, du recueil de Perrault n'avaient besoin d'aucune exégèse pour comprendre et goûter le sens second et la signification voilée de ces récits naïfs en effet, mais savamment brodés en français de Cour sur un canevas primitif, enfantin et mimant un français d'autrefois ?

Les lecteurs contemporains de Perrault avaient l'évidence de leur côté : il ne pouvait leur échapper que l'ancienneté des canevas des *Contes*, et le monde primitif où se déroulaient plusieurs d'entre eux, avec ogres, fées carabosses, loups, forêts impénétrables, magie, forme un chiasme surprenant avec la modernité du monde où se déploient certains autres *Contes*, les châteaux de la Loire et même souvent Versailles, la prospérité agricole, l'économie d'un grand luxe parisien et royal, l'autorité conquise par les femmes sur le beau langage français et la vie de société de la Ville et de la Cour, bref ce saut de qualité de la barbarie à la civilisation, correspondaient sous une forme humoristique et surprenante à la vision du progrès dont la France de Richelieu et de Louis XVI avait pris la tête, et à l'apologie du régime politique qui avait, en une génération, rendu aux Français l'ordre, la fierté et les grandes espérances. Allant plus loin dans les *Contes* qu'il ne l'avait fait dans le poème du *Siècle de Louis le Grand* et le dialogue du *Parallèle*, Perrault y créait la mythologie et la légende de cette modernité, allant jusqu'à esquisser et amorcer, dans *Le Chat botté*, et surtout dans *Riquet à la houppe*, une poétique et une psychologie modernes de l'amour, dont Fénelon sera le meilleur et le plus proche rival dans *Les Aventures de Télémaque*, et Marivaux, romancier et auteur dramatique, sera le plus fidèle et profond interprète, dans la génération suivante.

Si les lecteurs des XVIIe et XVIIIe siècles, plongés dans le très encyclopédique débat des Anciens et des Modernes, en rapportaient sans effort les clefs de l'allégorisme des *Contes*, il n'en est pas de même des lecteurs d'aujourd'hui, qui ne disposent pas de l'humus sur lequel pouvait compter Perrault pour être pleinement compris. Une lecture naïve dans ces conditions risquerait de n'être qu'une lecture niaise. La saveur des *Contes*, qui reste intacte, est inséparable de leur sens, voire de leur référence historiale, dont nous sommes tentés d'oublier la prégnance originelle et originale. Il nous faut retrouver l'enthousiasme et l'euphorie qui poignait Charles Perrault, collaborateur de premier ordre à l'édification de la moderne monarchie administrative de Louis le Grand. Il nous faut goûter le tact avec lequel le catholique Perrault concilie ou tente de réconcilier l'humilité et l'ascétisme de la religion des Modernes, le christianisme, avec l'opulence, le luxe, la galanterie, la civilisation raffinée, mais non bégueule ni rigoriste, de l'urbanité de Cour moderne, indispensables à la gloire quasi sacrale et liturgique du roi de France. « Miracle de culture », comme on l'a dit des *Fables* de La Fontaine, les *Contes* de Perrault sont aussi un miracle de style naïf savant, le chef-d'œuvre qui résume – mieux même que les beaux *Mémoires* du même auteur – l'essentiel de ses convictions et la juste fierté d'une existence entièrement consacrée aux belles-lettres, aux beaux-arts, et à l'État royal.

Marc Fumaroli

Les *Contes* de Perrault font partie des rares textes classiques de la littérature française dont la publication est presque inséparable de l'illustration. Dès l'édition originale des contes en prose publiée par le libraire parisien Claude Barbin en 1697, chacun était précédé d'une vignette gravée sur cuivre qui plaçait le texte sous l'éclairage d'une scène destinée à en constituer en quelque sorte l'emblème : le loup s'apprêtant à dévorer la grand-mère du Petit Chaperon rouge, les frères de la femme de la Barbe-Bleue arrivant au château au moment où leur sœur est sur le point d'être égorgée, le Chat botté interpellant les moissonneurs à l'approche du carrosse du roi, le fils du roi ramassant la pantoufle perdue par Cendrillon dans sa fuite, le Petit Poucet retirant à l'Ogre endormi ses bottes de sept lieues, etc. Chacune des scènes qu'on avait choisi d'illustrer correspondait à un épisode qui précipitait immédiatement l'action vers sa fin ou, du moins, imprimait au récit un tournant décisif. Ainsi l'illustration replaçait la lecture du volume imprimé dans la fiction du contage oral : en représentant au lecteur un moment de l'intrigue dont il ne pouvait que pressentir le caractère déterminant sans savoir en quoi il le serait et ce que donc il signifiait exactement, on l'installait dans une attente comparable à celle des enfants de bonne famille que le frontispice de l'édition de 1697 montrait suspendus aux lèvres de la vieille paysanne qui leur contait au coin du feu des « histoires du temps passé », filant son récit comme elle filait la laine de sa quenouille.

François Clouzier, le premier illustrateur des *Contes*, était un graveur très mineur de son temps, très loin de disposer par exemple du talent d'un Sébastien Leclerc, qui illustra d'autres textes de Perrault : son nom même aurait sans doute été largement oublié s'il n'avait été associé au chef d'œuvre littéraire que sont les *Contes de ma Mère l'Oye*, et par là emporté dans leur succès. La différence est notable avec ces autres contes de la fin du XVIIe siècle, d'un tout autre genre il est vrai, que sont ceux de La Fontaine, dont les éditeurs confièrent rapidement l'illustration à des artistes de renom et du plus grand talent, comme le Hollandais Romeyn de Hooghe : pour l'œuvre de Perrault la manière n'y entre pour rien, l'image se résorbe tout entière dans sa seule articulation à la narration, sans le moindre reste. Elle se maria au récit, et les *Contes* vécurent longtemps sous le régime de cette communauté.

Gustave Doré est le premier à rompre la tradition qui s'était ainsi instaurée. En décembre 1861, quand paraît l'édition des *Contes* qu'il illustre pour l'éditeur Pierre-Jules Hetzel – et que celui-ci préface sous le pseudonyme de P.-G. Stahl –, il n'a pas encore trente ans mais déjà une longue carrière d'illustrateur derrière lui. Non seulement son catalogue est impressionnant par le nombre des œuvres qu'il compte relativement à l'âge de leur auteur, mais c'est aussi une véritable biographie d'artiste qui a commencé à s'écrire, où l'on distingue déjà, derrière la quantité des productions, des époques successives de création. Après une première période dominée par le dessin de presse et la caricature, Doré s'est engagé depuis le milieu des années 1850 dans l'illustration d'œuvres littéraires, encouragé dans cette voie par le polygraphe Paul Lacroix, dit « le bibliophile Jacob ». Est-ce ce dernier qui l'a orienté aussi vers les *Contes* de Perrault, dont il venait de publier une nouvelle édition en 1861, après avoir fait déjà paraître un recueil plus complet d'œuvres diverses du même auteur en 1842 ? Rien ne permet de l'affirmer ; la vérité est plutôt qu'il y a depuis la fin des années 1850 et que se développe la mode éditoriale des « livres d'étrennes », un grand concours d'éditions nouvelles des *Contes* de Perrault, que les libraires font paraître au bout de l'an pour d'évidentes raisons commerciales : « je ne vois autour de moi, depuis quelques jours, que *Contes de Perrault*, j'en ai sous les yeux de toutes les formes et de toutes les dimensions, il en sort de terre à cette époque de l'année », écrit Sainte-Beuve le 23 décembre 1861 dans un article du *Constitutionnel* rédigé à l'occasion de la parution de l'édition Hetzel et repris plus tard dans les *Nouveaux lundis*. Doré, de son côté, n'en était pas à son coup d'essai en matière d'illustration de récits féeriques. En 1857 la librairie Louis Hachette avait publié dans sa « Bibliothèque des chemins de fer » les *Nouveaux contes de fées pour les petits enfants* de la comtesse de Ségur, « illustrés de vingt vignettes par Gustave Doré » – en réalité vingt planches à pleine page gravées sur bois, hors-texte, bientôt augmentées de dix planches supplémentaires dans la seconde édition du livre, en 1859, publiée cette fois-ci dans la « Bibliothèque rose illustrée ». Déjà Doré mettait au service du conte son sens de la dramatisation, dans le mouvement des scènes, dans la violence des contrastes de lumière, dans la prédilection pour une imagerie de forêts sombres et de châteaux médiévaux empruntée au romantisme fantastique. Toutefois le petit format des deux collections d'Hachette et la modestie de leur impression, réclamée par les impératifs d'une diffusion à prix réduit pour atteindre le plus grand nombre d'acheteurs, empêchaient de rendre à sa juste mesure le goût de l'effet cultivé par Doré. Tout autres sont les possibilités qu'offre l'édition Hetzel des *Contes de Perrault* : le format in-folio de l'ouvrage ouvre à Doré un champ plus propice à la pleine expression de son talent, de même que le soin luxueux apporté à l'impression fournit de meilleures garanties que l'invention du peintre ne soit pas deux fois trahie par le report de ses dessins sur les planches à graver puis par le passage de celles-ci sous la presse.

Cette invention est-elle pour autant parfaitement libre ? Ce serait sans compter avec les contraintes de genre qui pèsent sur elle. Contes « pour les petits enfants » disait le titre de la comtesse de Ségur, « livre d'étrennes » pense Hetzel : en ce milieu du XIXᵉ siècle, l'enfance est la donnée initiale que Doré doit prendre en compte, c'est à elle qu'il s'agit de s'adresser, dans une compréhension du conte de fées qui n'est pas sans gauchir considérablement le sens véritable de l'œuvre de Perrault et qui prend à la lettre ce qui doit s'entendre au figuré, tant il est vrai que l'enfance dont parle le texte de 1697 n'est pas un âge de l'homme, mais une figure de la valeur esthétique de naïveté, soit, en d'autres termes, une fausse ou feinte naïveté. La préface bavarde de Hetzel en 1861 est à ce titre un complet contresens, auquel le frontispice dessiné par Doré fait écho par la transformation qu'il fait délibérément subir à celui qui ornait l'édition de 1697 : tout en en reprenant la disposition d'ensemble, il métamorphose la vieille paysanne assise au coin du feu sur un grossier tabouret en une grand-mère bourgeoisement installée dans un fauteuil à oreilles, qui a troqué sa quenouille contre des lorgnons et sa mémoire des récits venus du fonds des temps contre la lecture d'un grand livre ouvert sur ses genoux ; il multiplie le nombre des enfants qui écoutent, qui de trois seulement deviennent sept, il leur adjoint la figure protectrice d'une jeune mère, enfin il les flanque au premier plan de quelques jouets (un théâtre de guignol, un chien à roulettes, un pantin articulé, une crécelle), comme s'il fallait saturer l'image des signes de l'enfance, monde des jupes (des mères et des grands-mères) et du joujou.

Mais le frontispice passé, on peut se demander si Doré a parfaitement rempli le contrat qui était le sien : a-t-il vraiment réalisé une illustration de livre d'étrennes, à mettre au jour de l'an entre les mains des enfants sages ? Sans doute ne s'est-il pas plus qu'Hetzel arrêté au jeu subtil de la double entente et de l'ironie qui interdit d'avoir une lecture simple des récits de Perrault et appelle chaque fois à une finesse d'esprit qui n'est pas celle des enfants, supposant de connaître ce qu'ils ne sont pas censés savoir. Mais il est vrai que l'ironie ne se représente pas. Aussi les illustrateurs de l'œuvre étaient-ils spontanément portés à s'en tenir à la neutralité d'une sorte de reportage du récit. C'est par exemple le parti suivi dans l'édition gravée sur acier publiée à la fin de l'année 1842 par le libraire Léon Curmer, illustrée collectivement par les dessinateurs Pauquet, Marvy, Jeanron, Jacque et Beaucé. Chaque image décrit si étroitement ce que dit le conte qu'il suffit, pour lui servir de légende, de mettre en exergue quelques paroles au milieu même de la narration sans en interrompre le cours : « le bûcheron était auprès du feu avec sa femme » dit le conte du Petit Poucet, et l'image montre deux paysans conversant au coin du feu en même temps que les paroles « était auprès du feu » sont gravées en caractères romains au milieu d'un texte en italiques ; « il se leva de bon matin et alla au bord d'un ruisseau, où il remplit ses poches de petits cailloux blancs », et l'image montre un enfant accroupi « au bord d'un ruisseau » ; « le Petit Poucet grimpa au haut d'un arbre pour voir s'il ne découvrirait rien », et l'image montre un enfant juché « au haut d'un arbre », dans la position d'une vigie sur une haute mer de feuillages. L'illustration procède ainsi par découpage du récit en situations qu'elle a pour fonction de souligner : c'est en quelque sorte la récitation visuelle du conte.

Il est manifeste que Doré connaissait très bien cette édition de 1842, soit qu'il l'ait pratiquée dans sa version originale, soit qu'il ait utilisé la réédition publiée en 1861 par la librairie Magnin, celle à laquelle avait collaboré Paul Lacroix par un texte de préface. Un examen comparé des gravures dont elle était ornée et des planches de l'édition Hetzel révèle, sans la moindre hésitation possible, que Doré s'est très régulièrement servi de l'édition Curmer comme d'une source d'inspiration et ne s'est pas fait faute d'y puiser à pleines mains : son illustration du *Petit Poucet*, par exemple, lui emprunte beaucoup, reprenant à peu de différences près le même choix de scènes dans des compositions souvent proches, jusque dans leur détail – tel celui du héros perché sur l'arbre d'où il scrute l'horizon, installé à la fourche de deux branches défeuillées comme dans la gravure de Louis Marvy en 1842. De même, le choix de peupler de figures grotesques de courtisans la scène du bal où le fils du roi vient accueillir Cendrillon est un emprunt très direct au dessin de la même scène par Charles Jacque, comme le visage ravagé de laideur de la « bonne vieille » filant sa quenouille, contrastant avec la jeune beauté de la Belle au bois dormant, est inspiré par la figure que Pauquet avait donnée à ce personnage, traité à la manière d'une vieille grimaçante de Goya. Même certaines compositions qu'on croirait le plus caractéristiques de la manière de Doré sont étroitement tributaires d'une idée fournie par l'édition Curmer. Ainsi la représentation du château de l'Ogre avec ses hautes tours vues en contre-plongée, telles que les découvre le Chat botté représenté de dos au premier plan, provient de la gravure de Marvy qui accompagne l'endroit du conte où il est dit que « le maître chat arriva enfin dans un beau château dont le maître était un ogre, le plus riche qu'on ait jamais vu ». L'intervention de Doré a consisté surtout à ajouter le petit groupe des gens de l'Ogre que le chat aborde, à rendre plus présent le paysage de forêt et à accentuer fortement la perspective de la contre-plongée pour accroître sa puissance dramatique.

On pourrait ainsi multiplier les exemples : il apparaîtrait pour finir que le nombre des planches de 1861 qui échappent à l'influence du modèle de 1842 est somme toute très limité. Mais de là à conclure que Doré a agi comme un plagiaire, il y aurait un pas qu'on ne saurait franchir, à moins de se tromper lourdement sur le sens qu'il faut donner à tous ces emprunts. Doré s'est en réalité saisi d'un premier matériau iconographique pour le remodeler et lui imprimer un esprit qu'il n'avait pas dans sa forme d'origine. Loin de s'en tenir au littéralisme de l'illustration de 1842, il s'est efforcé de briser la monotonie du parallélisme entre le geste de l'écrivain qui dit et celui du dessinateur qui décrit et la parfaite transparence de l'un à l'autre : à cela il substitue une imagination nouvelle du texte, en dessinant les décors dans un détail inédit, en diversifiant les cadrages, en modifiant les éclairages. Et c'est précisément dans cette entreprise de récriture que réside l'originalité de son illustration.

L'importance accordée au paysage y est pour beaucoup, comme le montre par exemple le travail que Doré a fait subir à la gravure de Jules Compagnon placée dans l'édition Curmer en frontispice du conte du Petit Poucet. La disposition d'ensemble est bien la même, mais en éliminant d'abord le détail pittoresque du pont qui traverse la rivière et qui introduisait dans le paysage l'indice rassurant d'une présence humaine, puis en rapprochant le point de vue de manière à accentuer la disproportion entre la taille du Petit Poucet et celle des arbres qui l'entourent et à créer également un contraste d'attitude entre le petit corps de l'enfant ramassé dans le mouvement qui le penche vers la terre et la gesticulation des grandes branches brandies vers le ciel, enfin en ajoutant à cela le contraste de lumière entre la tache claire du sol où l'enfant s'accroupit et l'obscurcissement du sous-bois par la pénombre d'un feuillage très dense, Doré superpose à la valeur descriptive de son dessin une valeur symbolique : ce n'est plus un ruisseau qu'on voit mais une « mare au diable », ni un enfant qui ramasse des cailloux mais un héros solitaire au milieu d'une nature hostile. Aussi est-ce l'atmosphère de menace bien davantage que l'action précise qu'accomplit le Petit Poucet qui constitue le véritable sujet de cette planche. Celle qui lui succède immédiatement le confirme d'ailleurs, par une utilisation très concertée de toutes les possibilités expressives qu'offre le détail du paysage. En 1842, Marvy avait représenté pour cette autre scène le Petit Poucet s'adressant à ses frères au milieu de la forêt pour les inviter à le suivre : « Ne craignez point, mes frères ; mon père et ma mère nous ont laissés ici, mais je vous ramènerai bien au logis, suivez-moi seulement. » Doré une fois encore reprend la composition de son prédécesseur, mais il en fait autre chose par quelques modifications très ingénieuses. La première, qui n'est pas la moindre, consiste à déplacer très légèrement le point du texte où vient s'appliquer l'image. La planche de Doré illustre non pas le moment où le Petit Poucet rassure ses frères, mais celui qui le précède immédiatement, quand les enfants, abandonnés par leurs parents au plus profond de la forêt, sont glacés d'épouvante, à l'exception du Petit Poucet qui se tient légèrement à l'écart, lui assis et les autres debout : « lorsque les enfants se virent seuls, ils se mirent à crier et pleurer de toutes leurs forces », dit le conte. Et pour mieux rendre l'effroi, Doré a basculé le sens de la composition de Marvy en substituant à son cadrage horizontal une vue verticale qui permet d'allonger considérablement la hauteur des fûts des arbres. L'effet d'écrasement du groupe des enfants qui en résulte exprime avec exactitude le sentiment de précarité de ces petits êtres, d'autant plus sensible que ceux-ci renversent la tête vers le haut, dans un geste qui traduit la crainte éprouvée face à une domination menaçante, tandis que l'idée d'abandon est rendue de son côté par le motif de la souche coupée à l'arrière-plan, seule trace qui subsiste du passage du bûcheron et de sa femme, disant ainsi leur disparition. Mais si l'on observe attentivement l'image, on remarque aussi qu'au centre de celle-ci, à l'endroit où la futaie s'épaissit le plus, le jeu des plages plus claires des troncs et des plages noires de la nuit qui les sépare dessine la forme incertaine d'une tête de loup, anticipant ainsi la suite du récit, lorsque les enfants, après être rentrés chez eux, sont abandonnés une seconde fois par leurs parents : « Plus ils marchaient, plus ils s'enfonçaient dans la forêt. La nuit vint, et il s'éleva un grand vent qui leur faisait des peurs épouvantables. Ils croyaient n'entendre de tous côtés que des hurlements de loups qui venaient à eux pour les manger ». On ne peut ici qu'admirer l'ingéniosité de l'illustrateur et ce tour de force qui consiste à représenter non pas les éléments matériels du récit, mais son abstraction psychologique – non pas le loup, mais la peur du loup.

Ailleurs, ce n'est plus par le paysage mais par le cadrage que Doré obtient un semblable effet, comme en témoigne la planche qui montre la Barbe-Bleue confiant à sa jeune épouse les clés de sa maison en lui défendant seulement, mais impérativement, de pénétrer dans le plus retiré de ses cabinets : « Pour cette petite clef-ci, c'est la clef du cabinet au bout de l'appartement bas : ouvrez-tout, allez partout, mais pour ce petit cabinet, je vous défends d'y entrer, et je vous le défends de telle sorte, que s'il vous arrive de l'ouvrir, il n'y a rien que vous ne deviez attendre de ma colère. » La gravure de Doré est l'une des plus célèbres du recueil : c'est elle, en particulier, qui frappa suffisamment l'imagination de Cocteau pour qu'il ait conçu sur son modèle les costumes du film *La Belle et la Bête*, en 1946. Le mérite de l'invention ne revient toutefois pas à Doré seulement : l'origine s'en trouve dans la figure gravée par Charles Geoffroy pour illustrer le même passage dans l'édition Curmer. À l'entrée d'une chambre meublée dans le goût de la Renaissance, devant les grands rideaux d'un tour de lit, la Barbe-Bleue, couvert d'une cape et d'un chapeau parce qu'il est prêt à partir en voyage, remet un trousseau de clés à son épouse : il lève sur elle l'index gauche dans un mouvement d'avertissement, tandis qu'elle-même avance la main pour se saisir des clés qu'il lui tend. Doré a reproduit chacun de ces gestes et est allé jusqu'à répéter exactement la forme du chapeau, avec la grande plume qui l'orne en son milieu. Mais il a aussi très fortement resserré le cadre sur les deux personnages, les présentant non plus en pied mais en buste et supprimant tout décor, hormis le pan d'un lourd rideau damassé - objet qui dès lors change de signification : le tour de lit, en 1842, permettait d'indiquer discrètement le lien conjugal qui unissait les deux protagonistes de la scène, tandis qu'ici le rideau devient le signe du secret, épais et lourd comme lui, projetant aussi derrière la Barbe-Bleue une ombre noire, comme la figure de sa part obscure.

Au-delà de ce seul élément, le resserrement du cadrage vient modifier la signification de la scène tout entière. Elle était en 1842 uniquement narrative : l'addition des détails iconographiques créait une sorte de phrase visuelle où il était dit qu'un riche mari (le lit conjugal dans une chambre élégamment meublée) sur le point de partir en voyage (la cape et le chapeau) remettait à son épouse des clés en lui adressant ses recommandations (l'index levé). Doré quant à lui fait disparaître les circonstances de l'histoire au profit de l'expressivité des attitudes, en relevant notamment le bord du chapeau de la Barbe-Bleue. Ce détail fait découvrir des yeux exorbités, plus importants que le geste de l'index désormais relégué dans l'ombre : ce n'est pas l'avertissement donné qui compte - l'ombre annonçant d'ailleurs le cas que l'épouse fera des défenses de son mari -, mais la colère terrible qui se prépare. De même, l'important n'est pas que l'épouse prenne le trousseau qu'on lui tend, mais qu'elle porte sur la clé du cabinet, isolée par le geste de ses deux mains qui l'entourent comme une chose redoutable à saisir mais aussi comme l'objet d'une fixation, un regard qui évite celui de son époux. Tout le drame à venir est contenu dans cette attitude, où la courbure du corps, tête baissée et buste penché vers l'arrière, exprime la soumission (« Elle promit d'observer exactement tout ce qui lui venait d'être ordonné ») tandis que le regard fixé sur le panneton de la clé, la partie qui ouvre la serrure, dit déjà l'irrépressible besoin de savoir (« l'impatience qu'elle avait d'aller ouvrir le cabinet de l'appartement bas »), ou plutôt l'hypnotisme de la tentation (« la tentation était si forte qu'elle ne put la surmonter : elle prit donc la petite clef, et ouvrit en tremblant la porte du cabinet »). Cet art d'illustrer a quelque chose d'éminemment théâtral : c'est une mise en scène, qui, par le privilège qu'elle accorde à la signification des attitudes (positions qu'on tient, gestes qu'on effectue, regards qu'on échange), substitue à la représentation des faits l'expression des mobiles psychologiques qui sous-tendent leur déroulement. Aussi n'est-ce pas, comme pouvait le laisser attendre la préface d'Hetzel, à la dimension du merveilleux que s'attache Doré en illustrant les contes de Perrault, mais à ce qui fait de chacun d'eux un petit drame.

Qu'il retravaille les compositions de l'édition Curmer, qu'il adopte pour la même scène une composition très différente, qu'il invente une planche nouvelle pour illustrer une scène qui ne l'avait pas été en 1842, Doré se montre toujours guidé par la recherche d'une expression psychologique. C'est par exemple la peur, comme on l'a vu par quelques images tirées du *Petit Poucet*, auxquelles on pourrait ajouter encore la planche entièrement neuve qui représente le cheminement du bûcheron et de la bûcheronne emmenant leur progéniture au fond de la forêt : en file indienne, ils forment une sorte de convoi funèbre avançant dans une marche à la mort sous le signe de la hache que le père porte haut, en tête de la petite procession, telle un inquiétant signe de ralliement qui annonce le destin promis à tous les enfants. C'est ailleurs le sentiment d'horreur qu'inspire à Peau-d'Âne le projet qu'a son père de l'épouser : Doré a repris pour cela la gravure par laquelle Christian Jacque représentait non pas un épisode de *Peau-d'Âne*, mais la fuite précipitée de Cendrillon dans les escaliers du palais sur le coup de minuit. Au balcon où Jacque avait placé la figure du fils du roi cherchant à rattraper Cendrillon, Doré a substitué l'image symbolique de la puissance abusive du père sous l'aspect d'un grand château, ou plus exactement de son ombre découpée par l'éclat de la lune dans un ciel aussi chargé de nuages que les marches sont recouvertes d'une végétation épineuse et envahissante. Ailleurs encore, c'est l'angoisse qu'éprouve l'épouse de la Barbe-Bleue dans l'attente du secours de ses frères. Pour ce faire, Doré a audacieusement renversé la perspective traditionnelle induite par le texte (« Anne, ma sœur Anne, ne vois tu rien venir ? Je vois, répondit-elle, deux cavaliers qui viennent de ce côté-ci, mais ils sont bien loin encore ») : au lieu de représenter l'éloignement des cavaliers, il a choisi de montrer l'inaccessibilité du château non seulement en le dotant de murs d'une hauteur démesurée, mais surtout en le construisant à l'exact point de fuite de la perspective, là où l'image n'en finit pas de reculer. Ou bien ce ne sont pas des sentiments que l'image exprime, mais des caractères, comme dans le double portrait du loup et du Petit Chaperon rouge : Louis Marvy avait décrit dans l'édition Curmer la rencontre des deux personnages en conversation le long d'un chemin, tandis que Doré, s'écartant cette fois-ci radicalement de l'exemple de son prédécesseur, s'intéresse surtout à la fourberie du loup, représenté de dos, la tête rejetée dans l'ombre, esquissant

un mouvement courbe d'enveloppement que souligne la forme du tronc que son échine épouse, alors que la candeur du Petit Chaperon rouge s'exprime par la lumière qui l'éclaire, sa présentation de face et l'attitude droite de son petit corps.

Ainsi Doré s'est attaché non pas à représenter dans chacun des contes de Perrault l'enchaînement des péripéties de l'histoire, mais à transformer le récit de l'action en un théâtre de caractères et d'affects. Ce faisant, il n'était pas sans répondre à l'un des enjeux qu'à la fin du XVIIᵉ siècle on fixait à l'art de conter, qui était, comme l'écrivait Catherine Bernard en 1696 au début de l'histoire d'*Inès de Cordoue*, de « faire voir ce qui se passe dans le cœur ». Mais frappant en même temps l'œuvre de Perrault du coup de baguette de son imagination romantique, il a aussi privilégié, parmi l'ensemble des sentiments humains, ceux qui relevaient du registre de la crainte, dans toute la gamme de ses variations possibles - ce qui peut s'expliquer également par une forme de maniérisme : c'est là que Doré pouvait le mieux faire la preuve de son talent à créer des effets spectaculaires, adéquatement rendus par la technique nouvelle de la gravure de teinte pratiquée de main de maître par les graveurs sur bois qui travaillaient pour lui, comme Héliodore Pisan et Adolphe Pannemaker. Sans doute Doré n'a-t-il pas voulu malgré tout plonger tous les contes de Perrault dans l'unique élément de l'épouvante : ici et là le caricaturiste perce encore pour ménager des effets comiques, comme dans le dessin des grands du royaume venant en corps prier le roi de se remarier, au début de *Peau-d'Âne*, ou dans le contrepoint que fait le regard curieux du griffon, attribut mythologique de la Vengeance, qui s'est posé sur le rebord de l'escalier au pied duquel les deux frères de l'épouse de la Barbe-Bleue trucident leur beau-frère avec tout l'emportement de la fureur, dans une scène aussi mouvementée qu'une chasse de Rubens ou de Delacroix. Cependant ce ne sont là que quelques touches plus divertissantes dans un ensemble où le drame domine : au plaisir du merveilleux, Doré préfère le frisson de la terreur. Dans le royaume de ses contes, les ogres ont croqué les fées. C'est en cela qu'on peut dire avec Sainte-Beuve que ses dessins « renouvellent » l'œuvre de Perrault. Lui-même l'a-t-il voulu ainsi, a-t-il eu l'intention de proposer une nouvelle compréhension du texte lui-même ? Ce n'est pas certain. En revanche, il ne fait pas de doute qu'il a voulu d'abord renouveler l'illustration d'un chef d'œuvre de la littérature française. En reprenant et retravaillant dans de nombreuses planches les figures que beaucoup de lecteurs de 1861 connaissaient pour les avoir vues dans l'édition Curmer, Doré non seulement affirmait la supériorité des capacités expressives de la gravure en bois de teinte sur la gravure sur acier, mais il souhaitait aussi faire montre de l'étendue de ses talents personnels, « prouver la variété de ses moyens » comme le disait la préface d'Hetzel. S'attaquer aux *Contes* de Perrault après la grande édition Curmer et déplacer l'objet des gravures du registre de la narration vers celui des émotions, c'était pour le jeune homme de trente ans à peine une manière de relever le gant, de lancer à la face du monde un arrogant « Moi aussi, je suis peintre ! », et de donner à ses contemporains une leçon d'illustration.

Jean-Marc Chatelain

Note bibliographique sur l'édition
des *Contes* de Perrault illustrée par Gustave Doré

L'édition des *Contes* de Perrault illustrée par Gustave Doré, de format in-folio, a été imprimée par Jules Claye et publiée par les librairies Jules Hetzel et Firmin Didot frères et fils sous la date de 1862. Mais le compte-rendu que Sainte-Beuve a fait paraître dans le *Constitutionnel* le 23 décembre 1861 montre que le livre a paru dès la fin de l'année 1861, ce que confirme aussi la date du dépôt légal à la Bibliothèque impériale.

L'édition contient les huit contes en prose de Perrault, complétés de la mise en prose du conte originellement en vers de *Peau-d'Âne*. L'ordre des textes est très différent de celui qu'observait l'édition originale des *Contes* de Perrault en 1697, où les textes étaient ainsi disposés : 1. *La Belle au bois dormant* ; 2. *Le Petit Chaperon rouge* ; 3. *La Barbe-Bleue* ; 4. *Le Maître chat ou le Chat botté* ; 5. *Les Fées* ; 6. *Cendrillon* ; 7. *Riquet à la houppe* ; 8. *Le Petit Poucet*. L'ordre est ici devenu le suivant, déplaçant en tête les deux contes dont les héros sont de très jeunes enfants : 1. *Le Petit Chaperon Rouge* ; 2. *Le Petit Poucet* ; 3. *La Belle au bois dormant* ; 4. *Cendrillon* ; 5. *Le Maître chat ou le Chat botté* ; 6. *Riquet à la houppe* ; 7. *Peau-d'Âne* ; 8. *Les Fées* ; 9. *La Barbe-Bleue*. Par ailleurs, le texte original a été systématiquement amputé des moralités en vers classées à la fin de chaque conte.

L'illustration est constituée d'un frontispice, de quarante planches hors-texte (dont la légende ne figure que dans la « table des illustrations » placée à la fin du volume) et d'une vignette ornant la page de titre. Les dessins de Doré ont été gravés sur bois par une équipe de douze graveurs sur bois : Ernest Bœtzel, Henri Brevière, Prosper Delduc, Émile Deschamps, Louis Dumont, Jules Fagnion, Auguste Hébert, Charles Maurand, Adolphe Pannemaker, Georges Perrichon, François Pierdon et Héliodore Pisan. La plupart d'entre eux ont gravé une planche ou deux, à l'exception de Pisan et Pannemaker, dont les noms figurent respectivement au bas de neuf et de douze planches parmi les trente-cinq qui présentent la signature du graveur, Pannemaker ayant en outre gravé la vignette de titre et le frontispice.

L'édition originale se décompose en deux tirages : un tirage ordinaire sur papier spécial du Marais et un tirage de luxe sur papier vergé de Hollande, avec les planches imprimées sur papier de Chine. Un nouveau tirage parut à la seule adresse d'Hetzel en 1864, puis un troisième à la même adresse en 1867. Les planches de Doré sont ici reproduites à partir de l'exemplaire de dépôt légal de l'édition originale, en tirage ordinaire sur papier du Marais, conservé à la Réserve des livres rares.

J.-M. Ch.

Le Petit
Chaperon
rouge

I l était une fois une petite fille de village, la plus jolie qu'on eût su voir: sa mère en était folle et sa mère-grand plus folle encore. Cette bonne femme lui fit faire un petit chaperon rouge qui lui seyait si bien que partout on l'appelait le Petit Chaperon rouge.

Un jour, sa mère, ayant fait des galettes, lui dit: « Va voir comment se porte ta mère-grand, car on m'a dit qu'elle était malade. Porte-lui une galette et ce petit pot de beurre. » Le Petit Chaperon rouge partit aussitôt pour aller chez sa mère-grand, qui demeurait dans un autre village. En passant dans un bois, elle rencontra compère le loup qui eut bien envie de la manger, mais il n'osa, à cause de quelques bûcherons qui étaient dans la forêt. Il lui demanda où elle allait. La pauvre enfant, qui ne savait pas qu'il était dangereux de s'arrêter à écouter un loup, lui dit: « Je vais voir ma mère-grand et lui porter une galette avec un petit pot de beurre que ma mère lui envoie. – Demeure-t-elle bien loin? lui dit le loup. – Oh! oui, dit le Petit Chaperon rouge, c'est par-delà le moulin que vous voyez tout là-bas, à la première maison du village. – Eh bien! dit le loup, je veux l'aller voir aussi. Je m'y en vais par ce chemin-ci et toi par ce chemin-là et nous verrons à qui plus tôt y sera. »

Le loup se mit à courir de toute sa force par le chemin qui était le plus court et la petite fille s'en alla par le chemin le plus long, s'amusant à cueillir des noisettes, à courir après des papillons et à faire des bouquets des petites fleurs qu'elle rencontrait.

Le loup ne fut pas longtemps à arriver à la maison de la mère-grand. Il heurte: toc, toc. « Qui est là? – C'est votre fille, le Petit Chaperon rouge, dit le loup en contrefaisant sa voix, qui vous apporte une galette et un petit pot de beurre que ma mère vous envoie. » La bonne mère-grand, qui était dans son lit à cause qu'elle se trouvait un peu mal, lui cria: « Tire la chevillette, la bobinette cherra. » Le loup tira la chevillette et la porte s'ouvrit. Il se jeta sur la bonne femme et la dévora en moins de rien car il y avait plus de trois jours qu'il n'avait mangé. Ensuite, il ferma la porte et s'alla coucher dans le lit de la mère-grand, en attendant le Petit Chaperon rouge, qui, quelque temps après, vint heurter à la porte: toc, toc. « Qui est là? » Le Petit Chaperon rouge, qui entendit la grosse

voix du loup, eut peur d'abord, mais croyant que sa mère-grand était enrhumée, répondit : « C'est votre fille, le Petit Chaperon rouge, qui vous apporte une galette et un petit pot de beurre que ma mère vous envoie. » Le loup lui cria, en adoucissant un peu sa voix : « Tire la chevillette, la bobinette cherra. » Le Petit Chaperon rouge tira la chevillette et la porte s'ouvrit.

Le loup, la voyant entrer, lui dit, en se cachant dans le lit sous la couverture : « Mets la galette et le petit pot de beurre sur la huche et viens te coucher avec moi. » Le Petit Chaperon rouge se déshabille et va se mettre dans le lit, où elle fut bien étonnée de voir comment sa mère-grand était faite en son déshabillé. Elle lui dit : « Ma mère-grand, que vous avez de grands bras ! – C'est pour mieux t'embrasser, ma fille ! – Ma mère-grand, que vous avez de grandes jambes ! – C'est pour mieux courir, mon enfant ! – Ma mère-grand, que vous avez de grandes oreilles ! – C'est pour mieux écouter, mon enfant ! – Ma mère-grand, que vous avez de grands yeux ! – C'est pour mieux voir, mon enfant ! – Ma mère-grand, que vous avez de grandes dents ! – C'est pour te manger ! » Et en disant ces mots, ce méchant loup se jeta sur le Petit Chaperon rouge et la mangea.

⌣

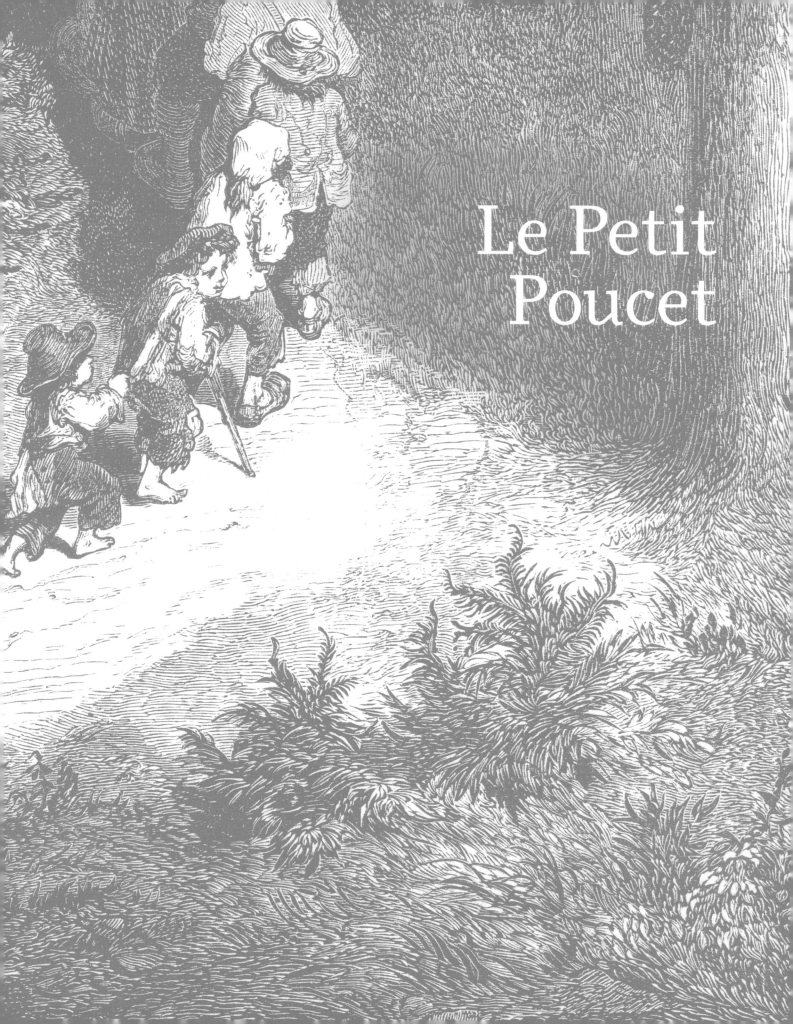

Le Petit Poucet

Il était une fois un bûcheron et une bûcheronne qui avaient sept enfants, tous garçons : l'aîné n'avait que dix ans et le plus jeune n'en avait que sept. On s'étonnera que le bûcheron ait eu tant d'enfants en si peu de temps, mais c'est que sa femme allait vite en besogne et n'en faisait pas moins de deux à la fois.

Ils étaient fort pauvres et leurs sept enfants les incommodaient beaucoup, parce qu'aucun d'eux ne pouvait encore gagner sa vie. Ce qui les chagrinait encore, c'est que le plus jeune était fort délicat et ne disait mot, prenant pour bêtise ce qui était une marque de la bonté de son esprit. Il était fort petit et, quand il vint au monde, il n'était guère plus grand que le pouce, ce qui fit qu'on l'appela le Petit Poucet.

Ce pauvre enfant était le souffre-douleur de la maison et on lui donnait toujours tort. Cependant, il était le plus fin et le plus avisé de tous ses frères et, s'il parlait peu, il écoutait beaucoup.

Il vint une année très fâcheuse et la famine fut si grande que ces pauvres gens résolurent de se défaire de leurs enfants. Un soir que ces enfants étaient couchés et que le bûcheron était auprès du feu avec sa femme, il lui dit, le cœur serré de douleur : « Tu vois bien que nous ne pouvons plus nourrir nos enfants. Je ne saurais les voir mourir de faim devant mes yeux et je suis résolu de les mener perdre demain au bois, ce qui sera bien aisé, car, tandis qu'ils s'amuseront à fagoter, nous n'avons qu'à nous enfuir sans qu'ils nous voient. – Ah ! s'écria la bûche-ronne, pourrais-tu bien toi-même mener perdre tes enfants ? » Son mari avait beau lui représenter leur grande pauvreté, elle ne pouvait y consentir : elle était pauvre, mais elle était leur mère.

Cependant, ayant considéré quelle douleur ce lui serait de les voir mourir de faim, elle y consentit et alla se coucher en pleurant.

Le Petit Poucet ouït tout ce qu'ils dirent car, ayant entendu de dans son lit qu'ils parlaient d'affaires, il s'était levé doucement et s'était glissé sous l'escabelle de son père, pour les écouter sans être vu. Il alla se recoucher et ne dormit point du reste de la nuit, songeant à ce qu'il avait à faire. Il se leva de bon matin et alla au bord d'un ruisseau, où il emplit ses

poches de petits cailloux blancs et ensuite revint à la maison. On partit et le Petit Poucet ne découvrit rien de tout ce qu'il savait à ses frères.

Ils allèrent dans une forêt fort épaisse, où, à dix pas de distance, on ne se voyait pas l'un l'autre. Le bûcheron se mit à couper du bois et ses enfants à ramasser des broutilles pour faire des fagots. Le père et la mère, les voyant occupés à travailler, s'éloignèrent d'eux insensiblement et puis s'enfuirent tout à coup par un petit sentier détourné.

Lorsque ces enfants se virent seuls, ils se mirent à crier et à pleurer de toute leur force. Le Petit Poucet les laissait crier, sachant bien par où il reviendrait à la maison, car en marchant il avait laissé tomber le long du chemin les petits cailloux blancs qu'il avait dans ses poches. Il leur dit donc : « Ne craignez point, mes frères, mon père et ma mère nous ont laissés ici, mais je vous ramènerai bien au logis, suivez-moi seulement. »

Ils le suivirent et il les mena jusqu'à leur maison par le même chemin qu'ils étaient venus dans la forêt. Ils n'osèrent d'abord entrer, mais ils se mirent tous contre la porte, pour écouter ce que disaient leur père et leur mère.

Dans le moment que le bûcheron et la bûcheronne arrivèrent chez eux, le seigneur du village leur envoya dix écus, qu'il leur devait il y avait longtemps et dont ils n'espéraient plus rien. Cela leur redonna la vie, car les pauvres gens mouraient de faim. Le bûcheron envoya sur l'heure sa femme à la boucherie. Comme il y avait longtemps qu'ils n'avaient mangé, elle acheta trois fois plus de viande qu'il n'en fallait pour le souper de deux personnes. Lorsqu'ils furent rassasiés, la bûcheronne dit : « Hélas ! où sont maintenant nos pauvres enfants ? Ils feraient bonne chère de ce qui nous reste là. Mais aussi, Guillaume, c'est toi qui les as voulu perdre, j'avais bien dit que nous nous en repentirions. Que font-ils maintenant dans cette forêt ? Hélas ! mon Dieu, les loups les ont peut-être déjà mangés ! tu es bien inhumain d'avoir perdu ainsi tes enfants ! »

Le bûcheron s'impatienta à la fin car elle redit plus de vingt fois qu'il s'en repentirait et qu'elle l'avait bien dit. Il la menaça de la battre si elle ne se taisait. Ce n'est pas que le bûcheron ne fût peut-être encore

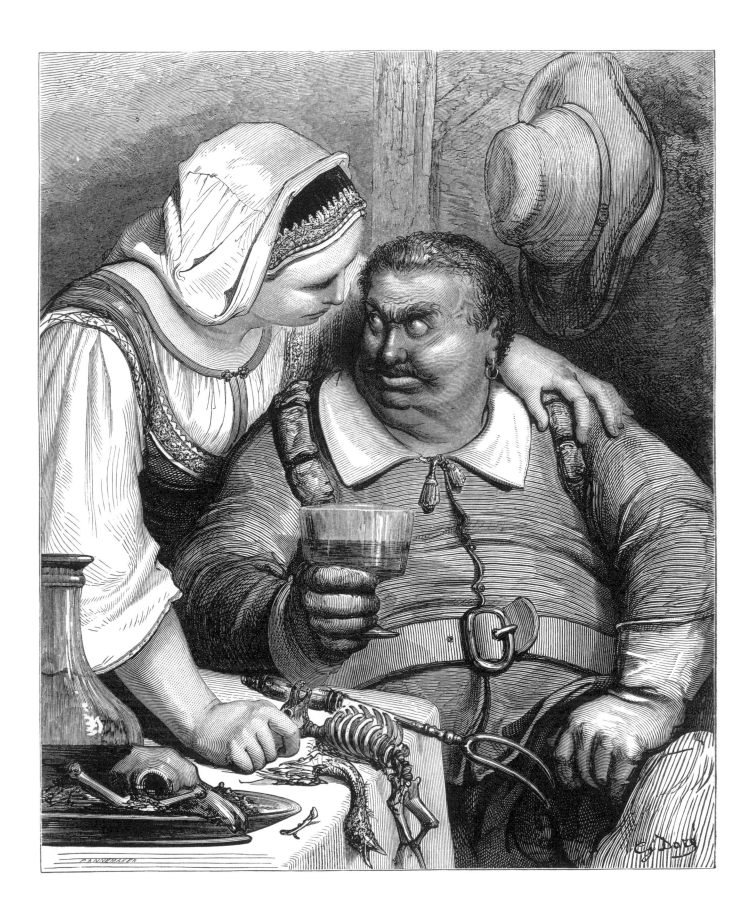

plus fâché que sa femme, mais c'est qu'elle lui rompait la tête et qu'il était de l'humeur de beaucoup d'autres gens, qui aiment fort les femmes qui disent bien mais qui trouvent très importunes celles qui ont toujours bien dit.

La bûcheronne était tout en pleurs : « Hélas ! où sont maintenant mes enfants, mes pauvres enfants ? » Elle le dit une fois si haut, que les enfants, qui étaient à la porte, l'ayant entendue, se mirent à crier tous ensemble : « Nous voilà ! nous voilà ! » Elle courut vite leur ouvrir la porte et leur dit en les embrassant : « Que je suis aise de vous revoir, mes chers enfants ! Vous êtes bien las, vous avez bien faim, et toi, Pierrot, comme te voilà crotté, viens que je te débarbouille. » Ce Pierrot était son fils aîné, qu'elle aimait plus que tous les autres, parce qu'il était un peu rousseau et qu'elle était un peu rousse.

Ils se mirent à table et mangèrent d'un appétit qui faisait plaisir au père et à la mère, à qui ils racontaient la peur qu'ils avaient eue dans la forêt, en parlant presque toujours tous ensemble. Ces bonnes gens étaient ravis de revoir leurs enfants avec eux et cette joie dura tant que les dix écus durèrent. Mais, lorsque l'argent fut dépensé, ils retombèrent dans leur premier chagrin et résolurent de les perdre encore et, pour ne pas manquer le coup, de les mener bien plus loin que la première fois.

Ils ne purent parler de cela si secrètement qu'ils ne fussent entendus par le Petit Poucet, qui fit son compte de sortir d'affaire comme il avait déjà fait. Mais, quoiqu'il se fût levé de grand matin pour aller ramasser des petits cailloux, il ne put en venir à bout, car il trouva la porte de la maison fermée à double tour. Il ne savait que faire, lorsque la bûcheronne, leur ayant donné à chacun un morceau de pain pour leur déjeuner, il songea qu'il pourrait se servir de son pain au lieu de cailloux, en le jetant par miettes le long des chemins où ils passeraient : il le serra donc dans sa poche.

Le père et la mère les menèrent dans l'endroit de la forêt le plus épais et le plus obscur et, dès qu'ils y furent, ils gagnèrent un faux-fuyant et les laissèrent là. Le Petit Poucet ne s'en chagrina pas beaucoup, parce qu'il croyait retrouver aisément son chemin, par le moyen de son pain qu'il avait semé partout où il avait passé, mais il fut bien surpris lorsqu'il ne

put en retrouver une seule miette : les oiseaux étaient venus qui avaient tout mangé.

Les voilà donc bien affligés, car plus ils s'égaraient, plus ils s'enfonçaient dans la forêt. La nuit vint et il s'éleva un grand vent qui leur faisait des peurs épouvantables. Ils croyaient n'entendre de tous côtés que des hurlements de loups qui venaient à eux pour les manger. Ils n'osaient presque se parler ni tourner la tête. Il survint une grosse pluie qui les perça jusqu'aux os. Ils glissaient à chaque pas, tombaient dans la boue, d'où ils se relevaient tout crottés, ne sachant que faire de leurs mains.

Le Petit Poucet grimpa au haut d'un arbre pour voir s'il ne découvrirait rien. Tournant la tête de tous côtés, il vit une petite lueur comme d'une chandelle, mais qui était bien loin, par-delà la forêt. Il descendit de l'arbre et, lorsqu'il fut à terre, il ne vit plus rien : cela le désola. Cependant, ayant marché quelque temps avec ses frères, du côté qu'il avait vu la lumière, il la revit en sortant du bois.

Ils arrivèrent enfin à la maison où était cette chandelle, non sans bien des frayeurs : car souvent ils la perdaient de vue, ce qui leur arrivait toutes les fois qu'ils descendaient dans quelque fond. Ils heurtèrent à la porte et une bonne femme vint leur ouvrir. Elle leur demanda ce qu'ils voulaient. Le Petit Poucet lui dit qu'ils étaient de pauvres enfants qui s'étaient perdus dans la forêt et qui demandaient à coucher par charité. Cette femme, les voyant tous si jolis, se mit à pleurer et leur dit : « Hélas ! mes pauvres enfants, où êtes-vous venus ? Savez-vous bien que c'est ici la maison d'un ogre qui mange les petits enfants ? – Hélas ! madame, lui répondit le Petit Poucet, qui tremblait de toute sa force aussi bien que ses frères, que ferons-nous ? Il est bien sûr que les loups de la forêt ne manqueront pas de nous manger cette nuit, si vous ne voulez pas nous retirer chez vous et, cela étant, nous aimons mieux que ce soit Monsieur qui nous mange, peut-être qu'il aura pitié de nous, si vous voulez bien l'en prier. »

La femme de l'Ogre, qui crut qu'elle pourrait les cacher à son mari jusqu'au lendemain matin, les laissa entrer et les mena se chauffer auprès d'un bon feu, car il y avait un mouton tout entier à la broche, pour le souper de l'Ogre.

Comme ils commençaient à s'échauffer, ils entendirent heurter trois ou quatre grands coups à la porte : c'était l'Ogre qui revenait. Aussitôt sa femme les fit cacher sous le lit et alla ouvrir la porte. L'Ogre demanda d'abord si le souper était prêt et si on avait tiré du vin et aussitôt se mit à table. Le mouton était encore tout sanglant, mais il ne lui en sembla que meilleur. Il flairait à droite et à gauche, disant qu'il sentait la chair fraîche. « Il faut, lui dit sa femme, que ce soit ce veau que je viens d'habiller que vous sentiez. – Je sens la chair fraîche, te dis-je encore une fois, reprit l'Ogre, en regardant sa femme de travers, il y a ici quelque chose que je n'entends pas. » En disant ces mots, il se leva de table et alla droit au lit.

« Ah! dit-il, voilà donc comme tu veux me tromper, maudite femme! Je ne sais à quoi il tient que je ne te mange aussi : bien t'en prend d'être une vieille bête. Voilà du gibier qui me vient bien à propos pour traiter trois ogres de mes amis qui doivent me venir voir ces jours-ci. »

Il les tira de dessous le lit l'un après l'autre. Ces pauvres enfants se mirent à genoux, en lui demandant pardon, mais ils avaient affaire au plus cruel de tous les ogres qui, bien loin d'avoir de la pitié, les dévorait déjà des yeux et disait à sa femme que ce seraient là de friands morceaux, lorsqu'elle leur aurait fait une bonne sauce.

Il alla prendre un grand couteau et, en approchant de ces pauvres enfants, il l'aiguisait sur une longue pierre, qu'il tenait à sa main gauche. Il en avait déjà empoigné un, lorsque sa femme lui dit : « Que voulez-vous faire à l'heure qu'il est? N'aurez-vous pas assez de temps demain? – Tais-toi, reprit l'Ogre, ils en seront plus mortifiés. – Mais vous avez encore tant de viande, reprit sa femme : voilà un veau, deux moutons et la moitié d'un cochon! – Tu as raison, dit l'Ogre : donne-leur bien à souper afin qu'ils ne maigrissent pas et va les mener coucher. »

La bonne femme fut ravie de joie et leur porta bien à souper, mais ils ne purent manger, tant ils étaient saisis de peur. Pour l'Ogre, il se remit à boire, ravi d'avoir de quoi si bien régaler ses amis. Il but une douzaine de coups de plus qu'à l'ordinaire, ce qui lui donna un peu dans la tête et l'obligea de s'aller coucher.

L'Ogre avait sept filles qui n'étaient encore que des enfants. Ces petites ogresses avaient toutes le teint fort beau, parce qu'elles mangeaient de la chair fraîche, comme leur père, mais elles avaient de petits yeux gris et tout ronds, le nez crochu et une fort grande bouche, avec de longues dents fort aiguës et fort éloignées l'une de l'autre. Elles n'étaient pas encore fort méchantes mais elles promettaient beaucoup, car elles mordaient déjà les petits enfants pour en sucer le sang.

On les avait fait coucher de bonne heure et elles étaient toutes sept dans un grand lit, ayant chacune une couronne d'or sur la tête. Il y avait dans la même chambre un autre lit de la même grandeur : ce fut dans ce lit que la femme de l'Ogre mit coucher les sept petits garçons ; après quoi, elle s'alla coucher auprès de son mari.

Le Petit Poucet, qui avait remarqué que les filles de l'Ogre avaient des couronnes d'or sur la tête, et qui craignait qu'il ne prît à l'Ogre quelques remords de ne les avoir pas égorgés dès le soir même, se leva vers le milieu de la nuit et, prenant les bonnets de ses frères et le sien, il alla tout doucement les mettre sur la tête des sept filles de l'Ogre, après leur avoir ôté leurs couronnes d'or, qu'il mit sur la tête de ses frères et sur la sienne afin que l'Ogre les prît pour ses filles et ses filles pour les garçons qu'il voulait égorger. La chose réussit comme il l'avait pensé car l'Ogre, s'étant éveillé sur le minuit, eut regret d'avoir différé au lendemain ce qu'il pouvait exécuter la veille. Il se jeta donc brusquement hors du lit et, prenant son grand couteau : « Allons voir, dit-il, comment se portent nos petits drôles, n'en faisons pas à deux fois. »

Il monta donc à tâtons à la chambre de ses filles et s'approcha du lit où étaient les petits garçons, qui dormaient tous, excepté le Petit Poucet, qui eut bien peur lorsqu'il sentit la main de l'Ogre qui lui tâtait la tête, comme il avait tâté celles de tous ses frères. L'Ogre, qui sentit les couronnes d'or : « Vraiment, dit-il, j'allais faire là un bel ouvrage, je vois bien que je bus trop hier au soir. » Il alla ensuite au lit de ses filles, où ayant senti les petits bonnets des garçons : « Ah ! les voilà, dit-il, nos gaillards, travaillons hardiment. » En disant ces mots, il coupa, sans balancer, la gorge à ses sept filles. Fort content de cette expédition, il alla se recoucher auprès de sa femme.

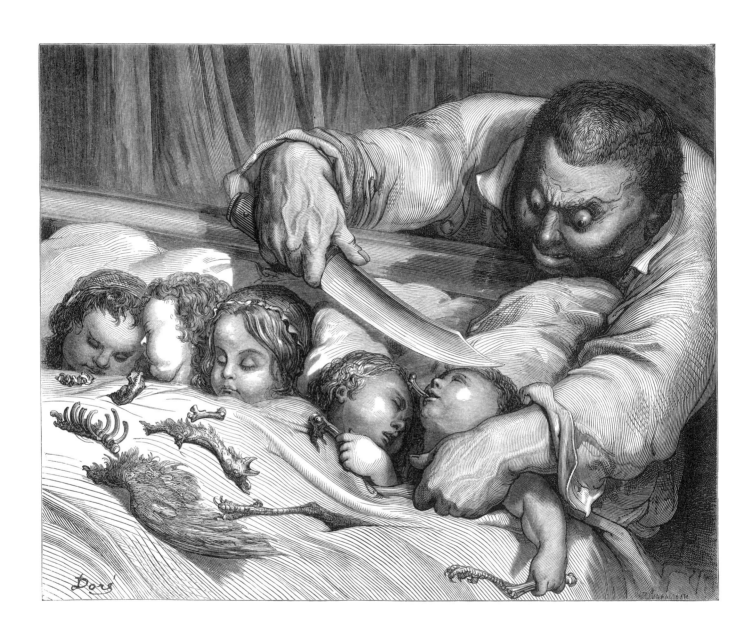

Aussitôt que le Petit Poucet entendit ronfler l'Ogre, il réveilla ses frères et leur dit de s'habiller promptement et de le suivre. Ils descendirent doucement dans le jardin et sautèrent par-dessus les murailles. Ils coururent presque toute la nuit, toujours en tremblant et sans savoir où ils allaient.

L'Ogre, s'étant éveillé, dit à sa femme : « Va-t'en là-haut habiller ces petits drôles d'hier au soir. » L'Ogresse fut fort étonnée de la bonté de son mari, ne se doutant point de la manière qu'il entendait qu'elle les habillât et croyant qu'il lui ordonnait de les aller vêtir. Elle monta en haut, où elle fut bien surprise, lorsqu'elle aperçut ses sept filles égorgées et nageant dans leur sang.

Elle commença par s'évanouir (car c'est le premier expédient que trouvent presque toutes les femmes en pareilles rencontres). L'Ogre, craignant que sa femme ne fût trop longtemps à faire la besogne dont il l'avait chargée, monta en haut pour lui aider. Il ne fut pas moins étonné que sa femme lorsqu'il vit cet affreux spectacle. « Ah ! qu'ai-je fait là ? s'écria-t-il. Ils me le payeront, les malheureux, et tout à l'heure. »

Il jeta aussitôt une potée d'eau dans le nez de sa femme et, l'ayant fait revenir : « Donne-moi vite mes bottes de sept lieues, lui dit-il, afin que j'aille les attraper. » Il se mit en campagne et, après avoir couru de tous les côtés, enfin il entra dans le chemin où marchaient les pauvres enfants, qui n'étaient plus qu'à cent pas du logis de leur père. Ils virent l'Ogre qui allait de montagne en montagne et qui traversait des rivières aussi aisément qu'il aurait fait le moindre ruisseau. Le Petit Poucet, qui vit un rocher creux proche le lieu où ils étaient, y fit cacher ses frères et s'y fourra aussi, regardant toujours ce que l'Ogre deviendrait. L'Ogre, qui se trouvait fort las du long chemin qu'il avait fait inutilement (car les bottes de sept lieues fatiguent fort leur homme), voulut se reposer et, par hasard, il alla s'asseoir sur la roche où les petits garçons s'étaient cachés.

Comme il n'en pouvait plus de fatigue, il s'endormit, après s'être reposé quelque temps et vint à ronfler si effroyablement que les pauvres enfants n'eurent pas moins de peur que quand il tenait son grand couteau pour leur couper la gorge. Le Petit Poucet en eut moins de peur et dit à ses

frères de s'enfuir promptement à la maison pendant que l'Ogre dormait bien fort et qu'ils ne se missent point en peine de lui. Ils crurent son conseil et gagnèrent vite la maison.

Le Petit Poucet, s'étant approché de l'Ogre, lui tira doucement ses bottes et les mit aussitôt. Les bottes étaient fort grandes et fort larges: mais, comme elles étaient fées, elles avaient le don de s'agrandir et de s'apetisser selon la jambe de celui qui les chaussait, de sorte qu'elles se trouvèrent aussi justes à ses jambes que si elles eussent été faites pour lui.

Il alla droit à la maison de l'Ogre, où il trouva sa femme qui pleurait auprès de ses filles égorgées. « Votre mari, lui dit le Petit Poucet, est en grand danger car il a été pris par une troupe de voleurs, qui ont juré de le tuer s'il ne leur donne tout son or et tout son argent. Dans le moment qu'ils lui tenaient le poignard sur la gorge, il m'a aperçu et m'a prié de vous venir avertir de l'état où il est et de vous dire de me donner tout ce qu'il a de vaillant, sans en rien retenir, parce qu'autrement ils le tueront sans miséricorde. Comme la chose presse beaucoup, il a voulu que je prisse ses bottes de sept lieues que voilà, pour faire diligence et aussi afin que vous ne croyiez pas que je sois un affronteur. »

La bonne femme, fort effrayée, lui donna aussitôt tout ce qu'elle avait, car cet Ogre ne laissait pas d'être fort bon mari, quoiqu'il mangeât les petits enfants. Le Petit Poucet, étant chargé de toutes les richesses de l'Ogre, s'en revint au logis de son père, où il fut reçu avec bien de la joie.

Il y a bien des gens qui ne demeurent pas d'accord de cette dernière circonstance et qui prétendent que le Petit Poucet n'a jamais fait ce vol à l'Ogre; qu'à la vérité il n'avait pas fait conscience de lui prendre ses bottes de sept lieues, parce qu'il ne s'en servait que pour courir après les petits enfants. Ces gens-là assurent le savoir de bonne part et même pour avoir bu et mangé dans la maison du bûcheron. Ils assurent que lorsque le Petit Poucet eut chaussé les bottes de l'Ogre, il s'en alla à la cour, où il savait qu'on était fort en peine d'une armée qui était à deux cents lieues de là et du succès d'une bataille qu'on avait donnée. Il alla, disent-ils, trouver le roi et lui dit que, s'il le souhaitait, il lui rapporterait des nouvelles de l'armée avant la fin du jour. Le roi lui promit une grosse somme

d'argent s'il en venait à bout. Le Petit Poucet rapporta des nouvelles dès le soir même et cette première course l'ayant fait connaître, il gagnait tout ce qu'il voulait, car le roi le payait parfaitement pour porter ses ordres à l'armée et une infinité de dames lui donnaient tout ce qu'il voulait pour avoir des nouvelles de leurs amants et ce fut là son plus grand gain.

Il se trouvait quelques femmes qui le chargeaient de lettres pour leurs maris mais elles le payaient si mal, et cela allait à si peu de chose, qu'il ne daignait pas mettre en ligne de compte ce qu'il gagnait de ce côté-là.

Après avoir fait pendant quelque temps le métier de courrier et y avoir amassé beaucoup de biens, il revint chez son père, où il n'est pas possible d'imaginer la joie qu'on eut de le revoir. Il mit toute sa famille à l'aise. Il acheta des offices de nouvelle création pour son père et pour ses frères et par là, il les établit tous et fit parfaitement bien sa cour en même temps.

———

Moralité
On ne s'afflige point d'avoir beaucoup d'enfants,
Quand ils sont tous beaux, bien faits et bien grands,
Et d'un extérieur qui brille;
Mais si l'un d'eux est faible, ou ne dit mot,
On le méprise, on le raille, on le pille:
Quelquefois, cependant, c'est ce petit marmot
Qui fera le bonheur de toute la famille.

La Belle
au bois
dormant

Il y avait une fois un roi et une reine qui étaient si fâchés de n'avoir point d'enfants, si fâchés qu'on ne saurait dire. Ils allèrent à toutes les eaux du monde : vœux, pèlerinages, tout fut mis en œuvre et rien n'y faisait. Enfin pourtant, la reine devint grosse et accoucha d'une fille. On fit un beau baptême, on donna pour marraines à la petite princesse toutes les fées qu'on pût trouver dans le pays (il s'en trouva sept), afin que, chacune d'elles lui faisant un don, comme c'était la coutume des fées en ce temps-là, la princesse eût, par ce moyen, toutes les perfections imaginables.

Après les cérémonies du baptême, toute la compagnie revint au palais du roi, où il y avait un grand festin pour les fées. On mit devant chacune d'elles un couvert magnifique, avec un étui d'or massif, où il y avait une cuiller, une fourchette et un couteau de fin or, garni de diamants et de rubis. Mais, comme chacun prenait sa place à table, on vit entrer une vieille fée, qu'on n'avait point priée parce qu'il y avait plus de cinquante ans qu'elle n'était sortie d'une tour, et qu'on la croyait morte ou enchantée. Le roi lui fit donner un couvert mais il n'y eut pas moyen de lui donner un étui d'or massif, comme aux autres, parce que l'on n'en avait fait faire que sept pour les sept fées. La vieille crut qu'on la méprisait et grommela quelques menaces entre ses dents. Une des jeunes fées, qui se trouva auprès d'elle, l'entendit et jugeant qu'elle pourrait donner quelque fâcheux don à la petite princesse alla, dès qu'on fut sorti de table, se cacher derrière la tapisserie, afin de parler la dernière et de pouvoir réparer autant qu'il lui serait possible le mal que la vieille aurait fait.

Cependant, les fées commencèrent à faire leur don à la princesse. La plus jeune lui donna pour don qu'elle serait la plus belle du monde, celle d'après qu'elle aurait de l'esprit comme un ange, la troisième qu'elle aurait une grâce admirable à tout ce qu'elle ferait, la quatrième qu'elle danserait parfaitement bien, la cinquième qu'elle chanterait comme un rossignol, la sixième qu'elle jouerait de toutes sortes d'instruments à la perfection. Le rang de la vieille fée étant venu, elle dit, en branlant la tête, avec plus de dépit que de vieillesse, que la princesse se percerait la main d'un fuseau et qu'elle en mourrait.

Ce terrible don fit frémir toute la compagnie et il n'y eut personne qui ne pleurât. Dans ce moment, la jeune fée sortit de derrière la tapisserie et dit tout haut ces paroles : « Rassurez-vous, roi et reine, votre fille n'en mourra point : il est vrai que je n'ai pas assez de puissance pour défaire entièrement ce que mon ancienne a fait, la princesse se percera la main d'un fuseau, mais, au lieu d'en mourir, elle tombera seulement dans un profond sommeil qui durera cent ans, au bout desquels le fils d'un roi viendra la réveiller. »

Le roi, pour tâcher d'éviter le malheur annoncé par la vieille, fit publier aussitôt un édit par lequel il défendait à toutes les personnes de filer au fuseau, ni d'avoir des fuseaux chez soi, sous peine de la vie.

Au bout de quinze ou seize ans, le roi et la reine étant allés à une de leurs maisons de plaisance, il arriva que la jeune princesse, courant un jour dans le château et montant de chambre en chambre, alla jusqu'au haut d'un donjon, dans un petit galetas où une bonne vieille était à filer sa quenouille. Cette bonne femme n'avait point ouï parler des défenses que le roi avait faites de filer au fuseau. « Que faites-vous là, ma bonne femme ? dit la princesse. – Je file, ma belle enfant, lui répondit la vieille qui ne la connaissait pas. – Ah ! que cela est joli, reprit la princesse, comment faites-vous ? Donnez-moi que je voie si j'en ferais autant. » Elle n'eut pas plutôt pris le fuseau, que, comme elle était fort vive, un peu étourdie et que d'ailleurs l'arrêt des fées l'ordonnait ainsi, elle s'en perça la main et tomba évanouie.

La bonne vieille, bien embarrassée, crie au secours : on vient de tous côtés, on jette de l'eau au visage de la princesse, on la délace, on lui frappe dans les mains, on lui frotte les tempes avec de l'eau de la reine de Hongrie : mais rien ne la faisait revenir.

Alors le roi, qui était monté au bruit, se souvint de la prédiction des fées, et jugeant bien qu'il fallait que cela arrivât, puisque les fées l'avaient dit, fit mettre la princesse dans le plus bel appartement du palais, sur un lit en broderie d'or et d'argent. On eût dit un ange tant elle était belle car son évanouissement n'avait point ôté les couleurs vives de son teint : ses joues étaient incarnates et ses lèvres comme du corail ; elle avait

seulement les yeux fermés, mais on l'entendait respirer tout doucement, ce qui faisait voir qu'elle n'était pas morte.

Le roi ordonna qu'on la laissât dormir, jusqu'à ce que son heure de se réveiller fût venue. La bonne fée qui lui avait sauvé la vie, en la condamnant à dormir cent ans, était dans le royaume de Mataquin, à douze mille lieues de là, lorsque l'accident arriva à la princesse; mais elle en fut avertie en un instant par un petit nain qui avait des bottes de sept lieues (c'étaient des bottes avec lesquelles on faisait sept lieues d'une seule enjambée). La fée partit aussitôt et on la vit, au bout d'une heure, arriver dans un chariot tout de feu, traîné par des dragons. Le roi lui alla présenter la main à la descente du chariot. Elle approuva tout ce qu'il avait fait mais, comme elle était grandement prévoyante, elle pensa que quand la princesse viendrait à se réveiller, elle serait bien embarrassée toute seule dans ce grand château: voici ce qu'elle fit. Elle toucha, de sa baguette, tout ce qui était dans ce château (hors le roi et la reine), gouvernantes, filles d'honneur, femmes de chambre, gentilshommes, officiers, maîtres d'hôtel, cuisiniers, marmitons, galopins, gardes, suisses, pages, valets de pied; elle toucha aussi tous les chevaux qui étaient dans les écuries, avec les palefreniers, les gros mâtins de basse-cour, et la petite Pouffle, petite chienne de la princesse, qui était auprès d'elle sur son lit. Dès qu'elle les eut touchés, ils s'endormirent tous, pour ne se réveiller qu'en même temps que leur maîtresse, afin d'être tout prêts à la servir quand elle en aurait besoin. Les broches mêmes, qui étaient au feu, toutes pleines de perdrix et de faisans, s'endormirent et le feu aussi. Tout cela se fit en un moment: les fées n'étaient pas longues à leur besogne.

Alors le roi et la reine, après avoir baisé leur chère enfant, sans qu'elle s'éveillât, sortirent du château et firent publier des défenses à qui que ce fût d'en approcher. Ces défenses n'étaient pas nécessaires, car il crût, dans un quart d'heure, tout autour du parc, une si grande quantité de grands arbres et de petits, de ronces et d'épines entrelacées les unes dans les autres, que bête ni homme n'y aurait pu passer, en sorte qu'on ne voyait plus que le haut des tours du château, encore n'était-ce que de bien loin. On ne douta point que la fée n'eût encore fait là un tour de

son métier, afin que la princesse, pendant qu'elle dormirait, n'eût rien à craindre des curieux.

Au bout de cent ans, le fils du roi qui régnait alors et qui était d'une autre famille que la princesse endormie, étant allé à la chasse de ce côté-là, demanda ce que c'était que ces tours qu'il voyait au-dessus d'un grand bois fort épais. Chacun lui répondit selon qu'il en avait ouï parler : les uns disaient que c'était un vieux château où il revenait des esprits, les autres que tous les sorciers de la contrée y faisaient leur sabbat. La plus commune opinion était qu'un ogre y demeurait et que là il emportait tous les enfants qu'il pouvait attraper, pour pouvoir les manger à son aise et sans qu'on le pût suivre, ayant seul le pouvoir de se faire un passage au travers du bois.

Le prince ne savait qu'en croire, lorsqu'un vieux paysan prit la parole et lui dit : « Mon Prince, il y a plus de cinquante ans que j'ai ouï dire de mon père qu'il y avait dans ce château une princesse, la plus belle qu'on eût su voir ; qu'elle devait dormir cent ans et qu'elle serait réveillée par le fils d'un roi, à qui elle était réservée. »

Le jeune prince, à ce discours, se sentit tout de feu : il crut, sans balancer, qu'il mettrait fin à une si belle aventure et, poussé par l'amour et par la gloire, il résolut de voir sur-le-champ ce qu'il en était. À peine s'avança-t-il vers le bois, que tous ces grands arbres, ces ronces et ces épines s'écartèrent d'eux-mêmes pour le laisser passer. Il marcha vers le château qu'il voyait au bout d'une grande avenue où il entra, et ce qui le surprit un peu, il vit que personne de ses gens ne l'avait pu suivre, parce que les arbres s'étaient rapprochés dès qu'il avait été passé. Il ne laissa pas de continuer son chemin : un prince jeune et amoureux est toujours vaillant. Il entra dans une grande avant-cour où tout ce qu'il vit d'abord était capable de le glacer de crainte. C'était un silence affreux, l'image de la mort s'y présentait partout, et ce n'était que des corps étendus d'hommes et d'animaux, qui paraissaient morts. Il reconnut pourtant bien, au nez bourgeonné et à la face vermeille des suisses, qu'ils n'étaient qu'endormis ; et leurs tasses, où il y avait encore quelques gouttes de vin, montraient assez qu'ils s'étaient endormis en buvant.

Il passe une grande cour pavée de marbre, il monte l'escalier, il entre dans la salle des gardes, qui étaient rangés en haie, la carabine sur l'épaule et ronflants de leur mieux. Il traverse plusieurs chambres, pleines de gentilshommes et de dames, dormant tous, les uns debout, les autres assis. Il entra dans une chambre toute dorée et il vit sur un lit, dont les rideaux étaient ouverts de tous côtés, le plus beau spectacle qu'il eût jamais vu : une princesse qui paraissait avoir quinze ou seize ans et dont l'éclat resplendissant avait quelque chose de lumineux et de divin. Il s'approcha en tremblant et en admirant et se mit à genoux auprès d'elle.

Alors, comme la fin de l'enchantement était venue, la princesse s'éveilla et le regardant, avec des yeux plus tendres qu'une première vue ne semblait le permettre : « Est-ce vous, mon Prince ? lui dit-elle, vous vous êtes bien fait attendre. » Le prince, charmé de ces paroles et plus encore de la manière dont elles étaient dites, ne savait comment lui témoigner sa joie et sa reconnaissance : il l'assura qu'il l'aimait plus que lui-même. Ses discours furent mal rangés, ils en plurent davantage : peu d'éloquence, beaucoup d'amour. Il était plus embarrassé qu'elle et l'on ne doit pas s'en étonner : elle avait eu le temps de songer à ce qu'elle aurait à lui dire, car il y a apparence (l'histoire n'en dit pourtant rien) que la bonne fée, pendant un si long sommeil, lui avait procuré le plaisir des songes agréables. Enfin, il y avait quatre heures qu'ils se parlaient et ils ne s'étaient pas encore dit la moitié des choses qu'ils avaient à se dire.

Cependant, tout le palais s'était réveillé avec la princesse : chacun songeait à faire sa charge et, comme ils n'étaient pas tous amoureux, ils mouraient de faim. La dame d'honneur, pressée comme les autres, s'impatienta et dit tout haut à la princesse que la viande était servie. Le prince aida la princesse à se relever : elle était tout habillée, fort magnifiquement, mais il se garda bien de lui dire qu'elle était habillée comme ma mère-grand et qu'elle avait un collet monté : elle n'en était pas moins belle.

Ils passèrent dans un salon de miroirs et y soupèrent, servis par les officiers de la princesse. Les violons et les hautbois jouèrent de vieilles pièces, mais excellentes, quoiqu'il y eût près de cent ans qu'on ne les jouât plus ; et, après souper, sans perdre de temps, le grand aumônier les

maria dans la chapelle du château et la dame d'honneur leur tira le rideau. Ils dormirent peu, la princesse n'en avait pas grand besoin et le prince la quitta dès le matin pour retourner à la ville, où son père devait être en peine de lui.

Le prince lui dit qu'en chassant il s'était perdu dans la forêt et qu'il avait couché dans la hutte d'un charbonnier, qui lui avait fait manger du pain noir et du fromage. Le roi son père, qui était bon homme, le crut, mais sa mère n'en fut pas bien persuadée, et voyant qu'il allait presque tous les jours à la chasse, et qu'il avait toujours une raison en main pour s'excuser quand il avait couché deux ou trois nuits dehors, elle ne douta plus qu'il n'eût quelque amourette : car il vécut avec la princesse plus de deux ans entiers et en eut deux enfants, dont le premier, qui était une fille, fut nommée l'*Aurore*, et le second, un fils, qu'on nomma le *Jour*, parce qu'il paraissait encore plus beau que sa sœur. La reine dit plusieurs fois à son fils, pour le faire expliquer, qu'il fallait se contenter dans la vie, mais il n'osa jamais lui confier son secret : il la craignait quoiqu'il l'aimât, car elle était de race ogresse et le roi ne l'avait épousée qu'à cause de ses grands biens. On disait même tout bas à la cour qu'elle avait les inclinations des ogres et qu'en voyant passer de petits enfants, elle avait toutes les peines du monde à se retenir de se jeter sur eux : ainsi le prince ne voulut jamais rien dire.

Mais quand le roi fut mort, ce qui arriva au bout de deux ans et qu'il se vit le maître, il déclara publiquement son mariage et alla en grande cérémonie quérir la reine, sa femme, dans son château. On lui fit une entrée magnifique dans la ville capitale, où elle entra au milieu de ses deux enfants.

Quelque temps après, le roi alla faire la guerre à l'empereur Cantalabutte, son voisin. Il laissa la régence du royaume à la reine sa mère et lui recommanda fort sa femme et ses enfants : il devait être à la guerre tout l'été et dès qu'il fut parti, la reine-mère envoya sa bru et ses enfants à une maison de campagne dans les bois, pour pouvoir plus aisément assouvir son horrible envie. Elle y alla quelques jours après et dit un soir à son maître d'hôtel : « Je veux manger demain à mon dîner la petite Aurore. – Ah ! madame... dit le maître d'hôtel. – Je le veux, dit la reine

(et elle le dit d'un ton d'ogresse qui a envie de manger de la chair fraîche) et je veux la manger à la sauce Robert. »

Ce pauvre homme, voyant bien qu'il ne fallait pas se jouer à une ogresse, prit son grand couteau et monta à la chambre de la petite Aurore : elle avait pour lors quatre ans et vint, en sautant et en riant, se jeter à son cou et lui demander du bonbon. Il se mit à pleurer : le couteau lui tomba des mains et il alla dans la basse-cour couper la gorge à un petit agneau et lui fit une si bonne sauce que sa maîtresse l'assura qu'elle n'avait jamais rien mangé de si bon. Il avait emporté en même temps la petite Aurore et l'avait donnée à sa femme pour la cacher dans le logement qu'elle avait au fond de la basse-cour.

Huit jours après, la méchante reine dit à son maître d'hôtel : « Je veux manger à mon souper le petit Jour. » Il ne répliqua pas, résolu de la tromper comme l'autre fois. Il alla chercher le petit Jour et le trouva avec un petit fleuret à la main, dont il faisait des armes avec un gros singe : il n'avait pourtant que trois ans. Il le porta à sa femme qui le cacha avec la petite Aurore et donna à la place du petit Jour un petit chevreau fort tendre que l'Ogresse trouva admirablement bon.

Cela était fort bien allé jusque-là mais, un soir, cette méchante reine dit au maître d'hôtel : « Je veux manger la reine à la même sauce que ses enfants. » Ce fut alors que le pauvre maître d'hôtel désespéra de la pouvoir encore tromper. La jeune reine avait vingt ans passés, sans compter les cent ans qu'elle avait dormi : sa peau était un peu dure, quoique belle et blanche, et le moyen de trouver dans la ménagerie une bête aussi dure que cela ? Il prit la résolution, pour sauver sa vie, de couper la gorge à la reine et monta dans sa chambre, dans l'intention de n'en pas faire à deux fois. Il s'excitait à la fureur et entra le poignard à la main dans la chambre de la jeune reine. Il ne voulut pourtant point la surprendre et il lui dit avec beaucoup de respect l'ordre qu'il avait reçu de la reine-mère. « Faites, faites, lui dit-elle, en lui tendant le cou ; exécutez l'ordre qu'on vous a donné ; j'irai revoir mes enfants, mes pauvres enfants que j'ai tant aimés. » Elle les croyait morts, depuis qu'on les avait enlevés sans lui rien dire.

« Non, non, madame, lui répondit le pauvre maître d'hôtel tout attendri, vous ne mourrez point et vous ne laisserez pas d'aller revoir vos chers enfants, mais ce sera chez moi où je les ai cachés et je tromperai encore la reine, en lui faisant manger une jeune biche en votre place. » Il la mena aussitôt à sa chambre, où la laissant embrasser ses enfants et pleurer avec eux, il alla accommoder une biche, que la reine mangea à son souper avec le même appétit que si c'eût été la reine. Elle était bien contente de sa cruauté et elle se préparait à dire au roi, à son retour, que les loups enragés avaient mangé la reine sa femme et ses deux enfants.

Un soir qu'elle rôdait comme d'habitude dans les cours et basses-cours du château, pour y halener quelque viande fraîche, elle entendit, dans une salle basse, le petit Jour qui pleurait, parce que la reine sa mère le voulait faire fouetter parce qu'il avait été méchant, et elle entendit aussi la petite Aurore qui demandait pardon pour son frère. L'Ogresse reconnut la voix de la reine et de ses enfants et, furieuse d'avoir été trompée, elle commanda, dès le lendemain au matin, avec une voix épou-vantable, qui faisait trembler tout le monde, qu'on apportât au milieu de la cour une grande cuve, qu'elle fit remplir de crapauds, de vipères, de couleuvres et de serpents, pour y faire jeter la reine et ses enfants, le maître d'hôtel, sa femme et sa servante : elle avait donné ordre de les amener les mains liées derrière le dos.

Ils étaient là et les bourreaux se préparaient à les jeter dans la cuve, lorsque le roi, qu'on n'attendait pas si tôt, entra dans la cour à cheval : il était venu en poste et demanda tout étonné ce que voulait dire cet horrible spectacle. Personne n'osait l'en instruire, quand l'Ogresse, enragée de voir ce qu'elle voyait, se jeta elle-même la tête la première dans la cuve et fut dévorée en un instant par les vilaines bêtes qu'elle y avait fait mettre. Le roi ne laissa pas d'en être fâché : elle était sa mère, mais il s'en consola bientôt avec sa belle femme et ses enfants.

Moralité
Attendre quelque temps pour avoir un époux,
Riche, bien fait, galant et doux,
La chose est assez naturelle,
Mais l'attendre cent ans, et toujours en dormant,
On ne trouve plus de femelle,
Qui dormit si tranquillement.
La fable semble encor' vouloir nous faire entendre
Que souvent de l'hymen les agréables nœuds,
Pour être différés, n'en sont pas moins heureux,
Et qu'on ne perd rien pour attendre;
Mais le sexe avec tant d'ardeur,
Aspire à la foi conjugale,
Que je n'ai pas la force ni le cœur,
De lui prêcher cette morale.

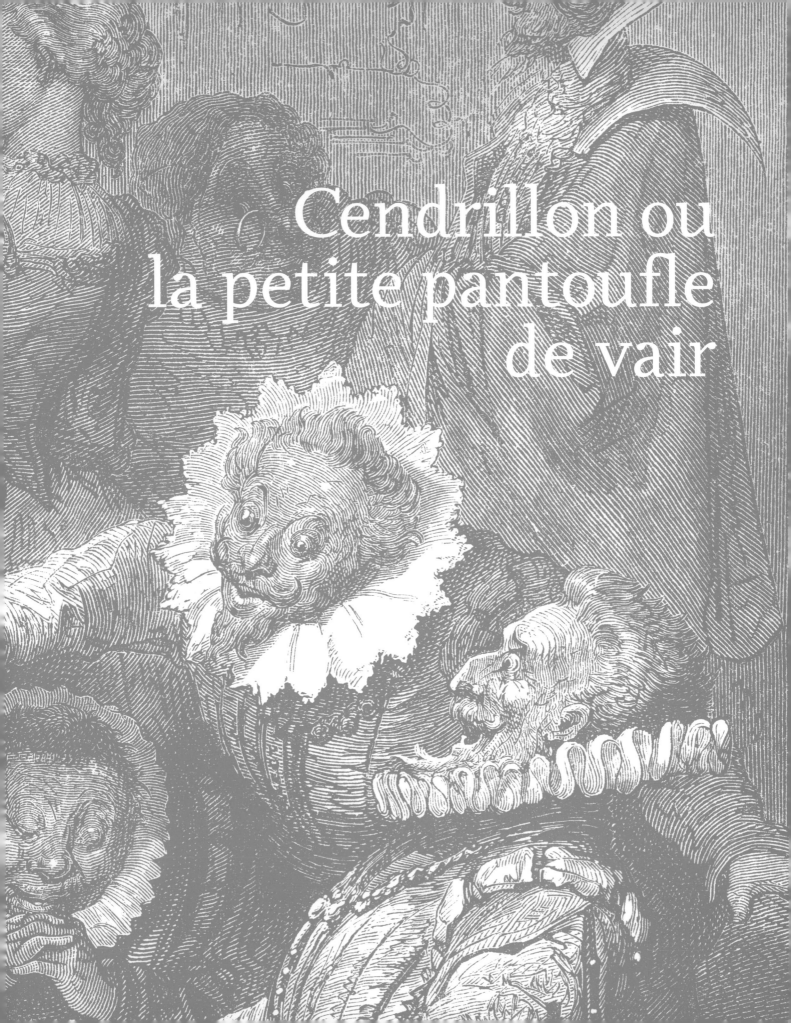

Cendrillon ou la petite pantoufle de vair

Il était une fois un gentilhomme qui épousa, en secondes noces, une femme, la plus hautaine et la plus fière qu'on eût jamais vue. Elle avait deux filles de son humeur et qui lui ressemblaient en toutes choses. Le mari avait, de son côté, une jeune fille, mais d'une douceur et d'une bonté sans exemple : elle tenait cela de sa mère, qui était la meilleure personne du monde.

Les noces ne furent pas plutôt faites que la belle-mère fit éclater sa mauvaise humeur : elle ne put souffrir les bonnes qualités de cette jeune enfant, qui rendaient ses filles encore plus haïssables. Elle la chargea des plus viles occupations de la maison : c'était elle qui nettoyait la vaisselle et les montées, qui frottait la chambre de madame et celles de mesdemoiselles ses filles ; elle couchait tout au haut de la maison, dans un grenier, sur une méchante paillasse, pendant que ses sœurs étaient dans des chambres parquetées, où elles avaient des lits des plus à la mode et des miroirs où elles se voyaient depuis les pieds jusqu'à la tête. La pauvre fille souffrait tout avec patience et n'osait s'en plaindre à son père, qui l'aurait grondée parce que sa femme le gouvernait entièrement.

Lorsqu'elle avait fait son ouvrage, elle allait se mettre au coin de la cheminée et s'asseoir dans les cendres, ce qui faisait qu'on l'appelait communément dans le logis *Cucendron*. La cadette, qui n'était pas si malhonnête que son aînée, l'appelait *Cendrillon*. Cependant Cendrillon, avec ses méchants habits, ne laissait pas d'être cent fois plus belle que ses sœurs, quoique vêtues magnifiquement.

Il arriva que le fils du roi donna un bal et qu'il en pria toutes les personnes de qualité. Nos deux demoiselles en furent aussi priées, car elles faisaient grande figure dans le pays. Les voilà bien aises et bien occupées à choisir les habits et les coiffures qui leur siéraient le mieux. Nouvelle peine pour Cendrillon, car c'était elle qui repassait le linge de ses sœurs et qui goudronnait leurs manchettes. On ne parlait que de la manière dont on s'habillerait. « Moi, dit l'aînée, je mettrai mon habit de velours rouge et ma garniture d'Angleterre. – Moi, dit la cadette, je n'aurai que ma jupe ordinaire, mais, en récompense, je mettrai mon manteau à fleurs d'or et ma barrière de diamants, qui n'est pas des plus indifférentes. »

On envoya quérir la bonne coiffeuse, pour dresser les cornettes à deux rangs et on fit acheter des mouches de la bonne faiseuse. Elles appelèrent Cendrillon pour lui demander son avis, car elle avait le goût bon. Cendrillon les conseilla le mieux du monde et s'offrit même à les coiffer, ce qu'elles voulurent bien.

En les coiffant, elles lui disaient: «Cendrillon, serais-tu bien aise d'aller au bal? – Hélas, mesdemoiselles, vous vous moquez de moi: ce n'est pas là ce qu'il me faut. – Tu as raison, on rirait bien, si on voyait un Cucendron aller au bal.»

Une autre que Cendrillon les aurait coiffées de travers, mais elle était bonne: elle les coiffa parfaitement bien. Elles furent près de deux jours sans manger, tant elles étaient transportées de joie. On rompit plus de douze lacets, à force de les serrer pour leur rendre la taille plus menue et elles étaient toujours devant le miroir.

Enfin, l'heureux jour arriva. On partit et Cendrillon les suivit des yeux le plus longtemps qu'elle put. Lorsqu'elle ne les vit plus, elle se mit à pleurer. Sa marraine, qui la vit tout en pleurs, lui demanda ce qu'elle avait. «Je voudrais bien... je voudrais bien...» Elle pleurait si fort qu'elle ne put achever. Sa marraine, qui était fée, lui dit: «Tu voudrais bien aller au bal, n'est-ce pas? – Hélas! oui, dit Cendrillon en soupirant. – Eh bien! seras-tu bonne fille? dit sa marraine, je t'y ferai aller.» Elle la mena dans sa chambre et lui dit: «Va dans le jardin et apporte-moi une citrouille.» Cendrillon alla aussitôt cueillir la plus belle qu'elle put trouver et la porta à sa marraine, ne pouvant deviner comment cette citrouille pourrait la faire aller au bal. Sa marraine la creusa et, n'ayant laissé que l'écorce, la frappa de sa baguette et la citrouille fut aussitôt changée en un beau carrosse tout doré.

Ensuite, elle alla regarder dans la souricière où elle trouva six souris toutes en vie. Elle dit à Cendrillon de lever un peu la trappe de la souricière et, à chaque souris qui sortait, elle lui donnait un coup de sa baguette et la souris était aussitôt changée en un beau cheval: ce qui fit un bel attelage de six chevaux, d'un beau gris de souris pommelé.

Comme elle était en peine de quoi elle ferait un cocher : « Je vais voir, dit Cendrillon, s'il n'y a pas quelque rat dans la ratière, nous en ferons un cocher. – Tu as raison, dit sa marraine, va voir. » Cendrillon lui apporta la ratière, où il y avait trois gros rats. La fée en prit un d'entre les trois, à cause de sa maîtresse barbe et, l'ayant touché, il fut changé en un gros cocher, qui avait les plus belles moustaches qu'on ait jamais vues.

Ensuite, elle lui dit : « Va dans le jardin, tu y trouveras six lézards derrière l'arrosoir : apporte-les moi. » Elle ne les eut pas plutôt apportés que sa marraine les changea en six laquais, qui montèrent aussitôt derrière le carrosse, avec leurs habits chamarrés et qui s'y tenaient attachés comme s'ils n'eussent fait autre chose de toute leur vie.

La fée dit alors à Cendrillon : « Eh bien ! voilà, de quoi aller au bal : n'es-tu pas bien aise ? – Oui, mais est-ce que j'irai comme cela, avec mes vilains habits ? » Sa marraine ne fit que la toucher avec sa baguette et en même temps ses habits furent changés en des habits d'or et d'argent, tout chamarrés de pierreries. Elle lui donna ensuite une paire de pantoufles de vair, les plus jolies du monde. Quand elle fut ainsi parée, elle monta en carrosse. Mais sa marraine lui recommanda, sur toutes choses, de ne pas passer minuit, l'avertissant que, si elle demeurait au bal un moment davantage, son carrosse redeviendrait citrouille, ses chevaux des souris, ses laquais des lézards et que ses beaux habits reprendraient leur première forme.

Elle promit à sa marraine qu'elle ne manquerait pas de sortir du bal avant minuit. Elle part, ne se sentant pas de joie. Le fils du roi, qu'on alla avertir qu'il venait d'arriver une grande princesse qu'on ne connaissait point, courut la recevoir. Il lui donna la main à la descente du carrosse et la mena dans la salle où était la compagnie. Il se fit alors un grand silence : on cessa de danser et les violons ne jouèrent plus, tant on était attentif à contempler les grandes beautés de cette inconnue. On n'entendait qu'un bruit confus : « Ah ! qu'elle est belle ! » Le roi même, tout vieux qu'il était, ne laissait pas de la regarder et de dire tout bas à la reine qu'il y avait longtemps qu'il n'avait vu une si belle et si aimable personne. Toutes les dames étaient attentives à considérer sa coiffure et ses habits, pour

en avoir, dès le lendemain, de semblables, pourvu qu'il se trouvât des étoffes assez belles et des ouvriers assez habiles.

Le fils du roi la mit à la place la plus honorable et ensuite la prit pour la mener danser. Elle dansa avec tant de grâce qu'on l'admira encore davantage. On apporta une fort belle collation, dont le jeune prince ne mangea point, tant il était occupé à la considérer. Elle alla s'asseoir auprès de ses sœurs et leur fit mille honnêtetés. Elle leur fit part des oranges et des citrons que le prince lui avait donnés, ce qui les étonna fort, car elles ne la connaissaient point.

Cendrillon entendit sonner onze heures trois quarts: elle fit aussitôt une grande révérence à la compagnie et s'en alla le plus vite qu'elle put. Dès qu'elle fut arrivée, elle alla trouver sa marraine et, après l'avoir remerciée, elle lui dit qu'elle souhaiterait bien aller encore le lendemain au bal, parce que le fils du roi l'en avait priée. Comme elle était occupée à raconter à sa marraine tout ce qui s'était passé au bal, les deux sœurs heurtèrent à la porte; Cendrillon leur alla ouvrir. «Que vous êtes longtemps à revenir!» leur dit-elle en bâillant, en se frottant les yeux et en s'étendant comme si elle n'eût fait que de se réveiller. Elle n'avait cependant pas eu envie de dormir depuis qu'elles s'étaient quittées. «Si tu étais venue au bal, lui dit une de ses sœurs, tu ne t'y serais pas ennuyée, il est venu la plus belle princesse, la plus belle qu'on puisse jamais voir. Elle nous a fait mille civilités, elle nous a donné des oranges et des citrons.»

Cendrillon ne se sentait pas de joie: elle leur demanda le nom de cette princesse; mais elles lui répondirent qu'on ne la connaissait pas, que le fils du roi en était fort en peine et qu'il donnerait toute chose au monde pour savoir qui elle était. Cendrillon sourit et leur dit: «Elle était donc bien belle? Mon Dieu! que vous êtes heureuses! ne pourrais-je donc point la voir? Hélas! mademoiselle Javotte, prêtez-moi votre habit jaune, que vous mettez tous les jours. – Vraiment, dit mademoiselle Javotte, je suis de cet avis! Prêtez votre habit à un vilain Cucendron comme cela! il faudrait que je fusse bien folle.» Cendrillon s'attendait bien à ce refus et elle en fut bien aise, car elle aurait été grandement embarrassée si sa sœur eût bien voulu lui prêter son habit.

Le lendemain, les deux sœurs furent au bal et Cendrillon aussi, mais encore plus parée que la première fois. Le fils du roi fut toujours auprès d'elle et ne cessa de lui conter des douceurs. La jeune demoiselle ne s'ennuyait point et oublia ce que sa marraine lui avait recommandé; de sorte qu'elle entendit sonner le premier coup de minuit, lorsqu'elle ne croyait point qu'il fût encore onze heures. Elle se leva et s'enfuit aussi légèrement qu'aurait fait une biche. Le prince la suivit, mais il ne put l'attraper. Elle laissa tomber une de ses pantoufles de vair, que le prince ramassa bien soigneusement. Cendrillon arriva chez elle, bien essoufflée, sans carrosse, sans laquais et avec ses méchants habits. Rien ne lui étant resté de sa magnificence qu'une de ses petites pantoufles, la pareille de celle qu'elle avait laissée tomber. On demanda aux gardes de la porte du palais s'ils n'avaient point vu sortir une princesse. Ils dirent qu'ils n'avaient vu sortir personne qu'une jeune fille fort mal vêtue et qui avait plus l'air d'une paysanne que d'une demoiselle.

Quand les deux sœurs revinrent du bal, Cendrillon leur demanda si elles s'étaient encore bien diverties et si la belle dame y avait été. Elles lui dirent que oui, mais qu'elle s'était enfuie, lorsque minuit avait sonné et si promptement qu'elle avait laissé tomber une de ses petites pantoufles de vair, la plus jolie du monde; que le fils du roi l'avait ramassée et qu'il n'avait fait que la regarder tout le reste du bal et qu'assurément il était fort amoureux de la belle personne à qui appartenait la petite pantoufle.

Elles dirent vrai; car, peu de jours après, le fils du roi fit publier, à son de trompe, qu'il épouserait celle dont le pied serait bien juste à la pantoufle. On commença à l'essayer aux princesses, ensuite aux duchesses et à toute la cour, mais inutilement. On l'apporta chez les deux sœurs, qui firent tout leur possible pour faire entrer leur pied dans la pantoufle, mais elles ne purent en venir à bout. Cendrillon, qui les regardait et qui reconnut sa pantoufle, dit en riant: « Que je voie si elle ne me serait pas bonne! » Ses sœurs se mirent à rire et à se moquer d'elle. Le gentilhomme qui faisait l'essai de la pantoufle, ayant regardé attentivement Cendrillon et la trouvant fort belle, dit que cela était très juste et qu'il avait ordre de l'essayer à toutes les filles. Il fit asseoir Cendrillon et, approchant la pantoufle de son petit pied, il vit qu'elle y entrait sans peine et qu'elle lui

était juste comme de cire. L'étonnement des deux sœurs fut grand, mais plus grand encore quand Cendrillon tira de sa poche l'autre petite pantoufle qu'elle mit à son pied. Là-dessus, arriva la marraine, qui, ayant donné un coup de baguette sur les habits de Cendrillon, les fit devenir encore plus magnifiques que tous les autres.

Alors ses deux sœurs la reconnurent pour la belle personne qu'elles avaient vue au bal. Elles se jetèrent à ses pieds pour lui demander pardon de tous les mauvais traitements qu'elles lui avaient fait souffrir. Cendrillon les releva et leur dit, en les embrassant, qu'elle leur pardonnait de bon cœur et qu'elle les priait de l'aimer bien toujours. On la mena chez le jeune prince, parée comme elle était. Il la trouva encore plus belle que jamais et, peu de jours après, il l'épousa. Cendrillon, qui était aussi bonne que belle, fit loger ses deux sœurs au palais et les maria, dès le jour même, à deux grands seigneurs de la cour.

Moralité

La beauté, pour le sexe, est un rare trésor.
De l'admirer jamais on ne se lasse;
Mais ce qu'on nomme bonne grâce
Est sans prix, et vaut mieux encore.
C'est ce qu'à Cendrillon fit avoir sa marraine,
En la dressant, en l'instruisant,
Tant et si bien qu'elle en fit une reine:
(Car ainsi sur ce conte on va moralisant).
Belles, ce don vaut mieux que d'être bien coiffées:
Pour engager un cœur, pour en venir à bout,
La bonne grâce est le vrai don des fées;
Sans elle on ne peut rien, avec elle on peut tout.

Autre moralité

C'est sans doute un grand avantage,
D'avoir de l'esprit, du courage,
De la naissance, du bon sens,
Et d'autres semblables talents
Qu'on reçoit du ciel en partage;
Mais vous aurez beau les avoir,
Pour votre avancement ce seront choses vaines,
Si vous n'avez, pour les faire valoir,
Ou des parrains, ou des marraines.

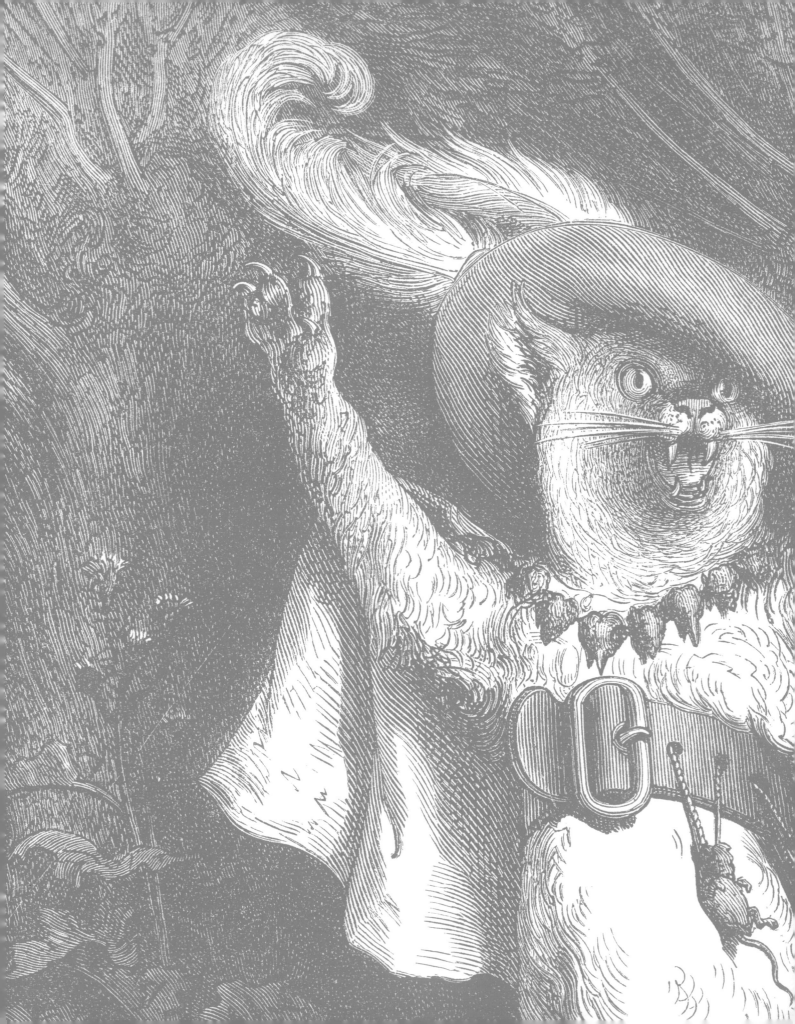

Le Maître chat ou le Chat botté

Un meunier ne laissa pour tous biens, à trois enfants qu'il avait, que son moulin, son âne et son chat. Les partages furent bientôt faits : ni le notaire, ni le procureur n'y furent point appelés. Ils auraient eu bientôt mangé tout le pauvre patrimoine. L'aîné eut le moulin, le second eut l'âne et le plus jeune n'eut que le chat.

Ce dernier ne pouvait se consoler d'avoir un si pauvre lot : « Mes frères, disait-il, pourront gagner leur vie honnêtement en se mettant ensemble. Pour moi, lorsque j'aurai mangé mon chat et que je me serai fait un manchon de sa peau, il faudra que je meure de faim. »

Le Chat, qui entendit ce discours, mais qui n'en fit pas semblant, lui dit d'un air posé et sérieux : « Ne vous affligez point, mon maître, vous n'avez qu'à me donner un sac et me faire faire une paire de bottes pour aller dans les broussailles et vous verrez que vous n'êtes pas si mal partagé que vous croyez. » Quoique le maître du Chat ne fît pas grand fond là-dessus, il lui avait vu faire tant de tours de souplesse pour prendre des rats et des souris, comme quand il se pendait par les pieds ou qu'il se cachait dans la farine pour faire le mort, qu'il ne désespéra pas d'en être secouru dans sa misère.

Lorsque le Chat eut ce qu'il avait demandé, il se botta bravement et, mettant son sac à son cou, il en prit les cordons avec ses deux pattes de devant et s'en alla dans une garenne où il y avait grand nombre de lapins. Il mit du son et des lacerons dans son sac et, s'étendant comme s'il eût été mort, il attendit que quelque jeune lapin, peu instruit encore des ruses de ce monde, vînt se fourrer dans son sac pour manger ce qu'il y avait mis.

À peine fut-il couché qu'il eut contentement : un jeune étourdi de lapin entra dans son sac et le Maître chat, tirant aussitôt les cordons, le prit et le tua sans miséricorde.

Tout glorieux de sa proie, il s'en alla chez le roi et demanda à lui parler. On le fit monter à l'appartement de Sa Majesté, où, étant entré, il fit une grande révérence au roi et lui dit : « Voilà, sire, un lapin de garenne que monsieur le marquis de Carabas (c'était le nom qu'il lui prit en gré

de donner à son maître) m'a chargé de vous présenter de sa part. – Dis à ton maître, répondit le roi, que je le remercie et qu'il me fait plaisir. »

Une autre fois, il alla se cacher dans un blé, tenant toujours son sac ouvert et lorsque deux perdrix y furent entrées, il tira les cordons et les prit toutes deux. Il alla ensuite les présenter au roi, comme il avait fait du lapin de garenne. Le roi reçut encore avec plaisir les deux perdrix et lui fit donner pour boire.

Le Chat continua ainsi, pendant deux ou trois mois, de porter de temps en temps au roi du gibier de la chasse de son maître. Un jour qu'il sut que le roi devait aller à la promenade sur le bord de la rivière avec sa fille, la plus belle princesse du monde, il dit à son maître : « Si vous voulez suivre mon conseil, votre fortune est faite : vous n'avez qu'à vous baigner dans la rivière, à l'endroit que je vous montrerai et ensuite me laisser faire. »

Le marquis de Carabas fit ce que son chat lui conseillait, sans savoir à quoi cela serait bon. Dans le temps qu'il se baignait, le roi vint à passer et le Chat se mit à crier de toutes ses forces : « Au secours ! au secours ! voilà monsieur le marquis de Carabas qui se noie ! » À ce cri, le roi mit la tête à la portière, et, reconnaissant le Chat qui lui avait apporté tant de fois du gibier, il ordonna à ses gardes qu'on allât vite au secours de monsieur le marquis de Carabas.

Pendant qu'on retirait le pauvre marquis de la rivière, le Chat, s'approchant du carrosse, dit au roi que dans le temps que son maître se baignait, il était venu des voleurs qui avaient emporté ses habits, quoiqu'il eût crié *au voleur !* de toute sa force ; le drôle les avait cachés sous une grosse pierre. Le roi ordonna aussitôt aux officiers de sa garde-robe d'aller quérir un de ses plus beaux habits pour monsieur le marquis de Carabas. Le roi lui fit mille caresses et, comme les beaux habits qu'on venait de lui donner relevaient sa bonne mine (car il était beau et bien fait de sa personne), la fille du roi le trouva fort à son gré et le marquis de Carabas ne lui eut pas plutôt jeté deux ou trois regards fort respectueux et un peu tendres, qu'elle en devint amoureuse à la folie.

Le roi voulut qu'il montât dans son carrosse et qu'il fût de la promenade. Le Chat, ravi de voir que son dessein commençait à réussir, prit les devants et, ayant rencontré des paysans qui fauchaient un pré, il leur dit : « Bonnes gens qui fauchez, si vous ne dites au roi que le pré que vous fauchez appartient à monsieur le marquis de Carabas, vous serez tous hachés menu comme chair à pâté. »

Le roi ne manqua pas à demander aux faucheurs à qui était ce pré qu'ils fauchaient : « C'est à monsieur le marquis de Carabas, dirent-ils tous ensemble car la menace du Chat leur avait fait peur. – Vous avez là un bel héritage, dit le roi au marquis de Carabas. – Vous voyez, sire, répondit le marquis, c'est un pré qui ne manque point de rapporter abondamment toutes les années. »

Le Maître chat, qui allait toujours devant, rencontra des moissonneurs et leur dit : « Bonnes gens qui moissonnez, si vous ne dites que tous ces blés appartiennent à monsieur le marquis de Carabas, vous serez tous hachés menu comme chair à pâté. » Le roi, qui passa un moment après, voulut savoir à qui appartenaient tous les blés qu'il voyait. « C'est à monsieur le marquis de Carabas », répondirent les moissonneurs et le roi s'en réjouit encore avec le marquis. Le Chat, qui allait devant le carrosse, disait toujours la même chose à tous ceux qu'il rencontrait et le roi était étonné des grands biens de monsieur le marquis de Carabas.

Le Maître chat arriva enfin dans un beau château, dont le maître était un ogre, le plus riche qu'on ait jamais vu, car toutes les terres par où le roi avait passé étaient de la dépendance de ce château. Le Chat eut soin de s'informer qui était cet Ogre et ce qu'il savait faire et demanda à lui parler, disant qu'il n'avait pas voulu passer si près de son château sans avoir l'honneur de lui faire la révérence.

L'Ogre le reçut aussi civilement que le peut un ogre et le fit reposer. « On m'a assuré, dit le Chat, que vous aviez le don de vous changer en toutes sortes d'animaux, que vous pouviez, par exemple, vous transformer en lion, en éléphant. – Cela est vrai, répondit l'Ogre brusquement et, pour vous le montrer, vous m'allez voir devenir lion. » Le Chat fut si effrayé de voir un lion devant lui, qu'il gagna aussitôt les gouttières,

non sans peine et sans péril, à cause de ses bottes, qui ne valaient rien pour marcher sur les tuiles.

Quelque temps après, le Chat, ayant vu que l'Ogre avait quitté sa première forme, descendit et avoua qu'il avait eu bien peur. « On m'a assuré encore, dit le Chat, mais je ne saurais le croire, que vous aviez aussi le pouvoir de prendre la forme des plus petits animaux, par exemple de vous changer en un rat, en une souris. Je vous avoue que je tiens cela tout à fait impossible. – Impossible ? reprit l'Ogre, vous allez voir. » Et en même temps il se changea en une souris, qui se mit à courir sur le plancher. Le Chat ne l'eut pas plutôt aperçue qu'il se jeta dessus et la mangea.

Cependant le roi, qui vit en passant le beau château de l'Ogre, voulut entrer dedans. Le Chat, qui entendit le bruit du carrosse qui passait sur le pont-levis, courut au-devant et dit au roi : « Votre Majesté soit la bienvenue dans ce château de monsieur le marquis de Carabas ! – Comment, monsieur le marquis, s'écria le roi, ce château est encore à vous ? Il ne se peut rien de plus beau que cette cour et que tous ces bâtiments qui l'environnent ; voyons les dedans, s'il vous plaît. »

Le marquis donna la main à la jeune princesse et, suivant le roi, qui montait le premier, ils entrèrent dans une grande salle, où ils trouvèrent une magnifique collation que l'Ogre avait fait préparer pour ses amis, qui le devaient venir voir ce même jour-là, mais qui n'avaient pas osé entrer, sachant que le roi y était. Le roi, charmé des bonnes qualités de monsieur le marquis de Carabas, de même que sa fille, qui en était folle et, voyant les grands biens qu'il possédait, lui dit, après avoir bu cinq ou six coups : « Il ne tiendra qu'à vous, monsieur le marquis, que vous ne soyez mon gendre. » Le marquis, faisant de grandes révérences, accepta l'honneur que lui faisait le roi et, dès le même jour, il épousa la princesse. Le Chat devint le grand seigneur et ne courut plus après les souris que pour se divertir.

Moralité

Quelque grand que soit l'avantage
De jouir d'un riche héritage
Venant à nous de père en fils,
Aux jeunes gens, pour l'ordinaire,
L'industrie et le savoir-faire
Valent mieux que des biens acquis.

Autre moralité

Si le fils d'un meunier, avec tant de vitesse,
Gagne le cœur d'une princesse,
Et s'en fait regarder avec des yeux mourants;
C'est que l'habit, la mine et la jeunesse,
Pour inspirer de la tendresse,
N'en sont pas des moyens toujours indifférents.

Riquet à
la houppe

Il était une fois une reine qui accoucha d'un fils si laid et si mal fait qu'on douta longtemps s'il avait forme humaine. Une fée, qui se trouva à sa naissance, assura qu'il ne laisserait pas d'être aimable, parce qu'il aurait beaucoup d'esprit: elle ajouta même qu'il pourrait, en vertu du don qu'elle venait de lui faire, donner autant d'esprit qu'il en aurait à la personne qu'il aimerait le mieux.

Tout cela consola un peu la pauvre reine, qui était bien affligée d'avoir mis au monde un si vilain marmot. Il est vrai que cet enfant ne commença pas plutôt à parler, qu'il disait mille jolies choses et qu'il avait dans ses actions je ne sais quoi de si spirituel, qu'on en était charmé. J'oubliais de dire qu'il vint au monde avec une petite houppe de cheveux sur la tête, ce qui fit qu'on le nomma Riquet à la houppe, car Riquet était le nom de la famille.

Au bout de sept ou huit ans, la reine d'un royaume voisin accoucha de deux filles. La première qui vint au monde était plus belle que le jour: la reine en fut si aise, qu'on appréhenda que la trop grande joie qu'elle en avait ne lui fît mal. La même fée qui avait assisté à la naissance du petit Riquet à la houppe était présente et, pour modérer la joie de la reine, elle lui déclara que cette petite princesse n'aurait point d'esprit et qu'elle serait aussi stupide qu'elle était belle. Cela mortifia beaucoup la reine mais elle eut, quelques moments après, un bien plus grand chagrin, car la seconde fille dont elle accoucha se trouva extrêmement laide. « Ne vous affligez pas tant, madame, lui dit la fée, votre fille sera récompensée d'ailleurs et elle aura tant d'esprit, qu'on ne s'apercevra presque pas qu'il lui manque de la beauté. – Dieu le veuille! répondit la reine, mais n'y aurait-il pas moyen de faire avoir un peu d'esprit à l'aînée qui est si belle? – Je ne puis rien pour elle, madame, du côté de l'esprit, lui dit la fée, mais je puis tout du côté de la beauté et, comme il n'y a rien que je ne veuille pour votre satisfaction, je vais lui donner pour don de pouvoir rendre beau ou belle la personne qui lui plaira. »

À mesure que ces deux princesses devinrent grandes, leurs perfections crûrent aussi avec elles et on ne parlait partout que de la beauté de l'aînée et de l'esprit de la cadette. Il est vrai aussi que leurs défauts augmentèrent beaucoup avec l'âge. La cadette enlaidissait à vue d'œil et

l'aînée devenait plus stupide de jour en jour : ou elle ne répondait rien à ce qu'on lui demandait ou elle répondait une sottise. Elle était avec cela si maladroite qu'elle n'eût pu ranger quatre porcelaines sur le bord d'une cheminée sans en casser une, ni boire un verre d'eau sans en répandre la moitié sur ses habits.

Quoique la beauté soit un grand avantage chez une jeune femme, cependant la cadette l'emportait presque toujours sur son aînée dans toutes les compagnies. D'abord, on allait du côté de la plus belle pour la voir et pour l'admirer. Mais bientôt après, on allait à celle qui avait le plus d'esprit, pour lui entendre dire mille choses agréables et on était étonné qu'en moins d'un quart d'heure l'aînée n'avait plus personne auprès d'elle et que tout le monde s'était rangé autour de la cadette. L'aînée, quoique fort stupide, le remarqua bien et elle eût donné sans regret toute sa beauté pour avoir la moitié de l'esprit de sa sœur. La reine, toute sage qu'elle était, ne put s'empêcher de lui reprocher plusieurs fois sa bêtise, ce qui pensa faire mourir de douleur cette pauvre princesse.

Un jour qu'elle s'était retirée dans un bois pour y plaindre son malheur, elle vit venir à elle un petit homme fort laid et fort désagréable, mais vêtu très magnifiquement. C'était le jeune prince Riquet à la houppe qui, étant devenu amoureux d'elle, sur ses portraits qui couraient par tout le monde, avait quitté le royaume de son père pour avoir le plaisir de la voir et de lui parler. Ravi de la rencontrer ainsi toute seule, il l'aborda avec tout le respect et toute la politesse imaginables. Ayant remarqué, après lui avoir fait les compliments ordinaires, qu'elle était fort mélancolique, il lui dit : « Je ne comprends pas, madame, comment une personne aussi belle que vous l'êtes peut être aussi triste que vous le paraissez car, quoique je puisse me vanter d'avoir vu une infinité de belles personnes, je puis dire que je n'en ai jamais vu dont la beauté approche de la vôtre. – Cela vous plaît à dire, monsieur, lui répondit la princesse et en demeura là. – La beauté, reprit Riquet à la houppe, est un si grand avantage qu'elle doit tenir lieu de tout le reste et, quand on la possède, je ne vois rien qui puisse nous affliger beaucoup. – J'aimerais mieux, dit la princesse, être aussi laide que vous et avoir de l'esprit, que d'avoir de la beauté comme j'en ai et être bête autant que je le suis. – Il n'y a rien, madame, qui marque davantage

qu'on a de l'esprit, que de croire n'en pas avoir et il est de la nature de ce bien-là, que plus on en a, plus on croit en manquer. – Je ne sais pas cela, dit la princesse, mais je sais bien que je suis fort bête et c'est de là que vient le chagrin qui me tue. – Si ce n'est que cela, madame, qui vous afflige, je puis aisément mettre fin à votre douleur. – Et comment ferez-vous? dit la princesse. – J'ai le pouvoir, madame, dit Riquet à la houppe, de donner de l'esprit autant qu'on en saurait avoir à la personne que je dois aimer le plus et comme vous êtes, madame, celle-là, il n'en tiendra qu'à vous que vous ayez autant d'esprit qu'on peut en avoir, pourvu que vous vouliez bien m'épouser. »

La princesse demeura toute interdite et ne répondit rien. « Je vois, reprit Riquet à la houppe, que cette proposition vous fait de la peine et je ne m'en étonne pas, mais je vous donne un an tout entier pour vous y résoudre. » La princesse avait si peu d'esprit et, en même temps si grande envie d'en avoir, qu'elle s'imagina que la fin de cette année ne viendrait jamais, de sorte qu'elle accepta la proposition qui lui était faite. Elle n'eut pas plutôt promis à Riquet à la houppe qu'elle l'épouserait dans un an à pareil jour, qu'elle se sentit tout autre qu'elle n'était auparavant: elle se trouva une facilité incroyable à dire tout ce qui lui plaisait et à le dire d'une manière fine, aisée et naturelle. Elle commença, dès ce moment, une conversation galante et soutenue avec Riquet à la houppe, où elle babilla d'une telle force, que Riquet à la houppe crut lui avoir donné plus d'esprit qu'il ne s'en était réservé pour lui-même.

Quand elle fut retournée au palais, toute la cour ne savait que penser d'un changement si subit et si extraordinaire, car autant on lui avait ouï dire d'impertinences auparavant, autant lui entendait-on dire de choses bien sensées et infiniment spirituelles. Toute la cour en eut une joie qui ne se peut imaginer. Il n'y eut que sa cadette qui n'en fut pas bien aise, parce que, n'ayant plus sur son aînée l'avantage de l'esprit, elle ne paraissait plus auprès d'elle qu'une guenon fort désagréable.

Le roi se conduisait par ses avis, il allait même quelquefois tenir conseil dans son appartement. Le bruit de ce changement s'étant répandu, tous les jeunes princes des royaumes voisins firent grands efforts pour s'en faire aimer et presque tous la demandèrent en mariage, mais elle n'en

trouvait point qui eût assez d'esprit et elle les écoutait tous, sans s'engager à pas un d'eux. Cependant, il en vint un si puissant, si riche, si spirituel et si bien fait, qu'elle ne put s'empêcher d'avoir de la bonne volonté pour lui. Son père, s'en étant aperçu, lui dit qu'il la faisait la maîtresse sur le choix d'un époux et qu'elle n'avait qu'à se déclarer. Comme plus on a d'esprit et plus on a de peine à prendre une ferme résolution sur cette affaire, elle demanda, après avoir remercié son père, qu'il lui donnât du temps pour y penser.

Elle alla par hasard se promener dans le même bois où elle avait trouvé Riquet à la houppe, pour rêver plus commodément à ce qu'elle avait à faire. Dans le temps qu'elle se promenait, rêvant profondément, elle entendit un bruit sourd sous ses pieds, comme de plusieurs gens qui vont et viennent et qui agissent. Ayant prêté l'oreille plus attentivement, elle ouït que l'un disait : « Apporte-moi cette marmite » ; l'autre : « Donne-moi cette chaudière » ; l'autre : « Mets du bois dans ce feu. » La terre s'ouvrit dans le même temps et elle vit sous ses pieds comme une grande cuisine pleine de cuisiniers, de marmitons et de toutes sortes d'officiers nécessaires pour faire un festin magnifique. Il en sortit une bande de vingt ou trente rôtisseurs, qui allèrent se camper dans une allée du bois, autour d'une table fort longue et qui tous, la lardoire à la main et la queue de renard sur l'oreille, se mirent à travailler en cadence, au son d'une chanson harmonieuse.

La princesse, étonnée de ce spectacle, leur demanda pour qui ils travaillaient. « C'est, madame, lui répondit le plus apparent de la bande, pour le prince Riquet à la houppe, dont les noces se feront demain. » La princesse, encore plus surprise qu'elle ne l'avait été et se ressouvenant tout à coup qu'il y avait un an qu'à pareil jour elle avait promis d'épouser le prince Riquet à la houppe, pensa tomber de son haut. Ce qui faisait qu'elle ne s'en souvenait pas, c'est que, quand elle fit cette promesse, elle était bête et qu'en prenant le nouvel esprit que le prince lui avait donné, elle avait oublié toutes ses sottises.

Elle n'eut pas fait trente pas en continuant sa promenade, que Riquet à la houppe se présenta à elle, brave, magnifique, et comme un prince qui va se marier. « Vous me voyez, dit-il, madame, exact à tenir ma parole et je ne doute point que vous ne veniez ici pour exécuter la vôtre. – Je vous avouerai franchement, répondit la princesse, que je n'ai pas encore pris ma

décision là-dessus et que je ne crois pas pouvoir jamais la prendre comme vous la souhaitez. – Vous m'étonnez, madame, lui dit Riquet à la houppe. – Je le crois, dit la princesse et assurément si j'avais affaire à un brutal, à un homme sans esprit, je me trouverais bien embarrassée. Une princesse n'a que sa parole, me dirait-il, et il faut que vous m'épousiez puisque vous me l'avez promis, mais comme celui à qui je parle est l'homme du monde qui a le plus d'esprit, je suis sûre qu'il entendra raison. Vous savez que quand j'étais bête je ne pouvais néanmoins me résoudre à vous épouser. Comment voulez-vous qu'ayant l'esprit que vous m'avez donné, qui me rend encore plus difficile en gens que je n'étais, je prenne aujourd'hui une résolution que je n'ai pu prendre dans ce temps-là? Si vous pensiez tout de bon à m'épouser, vous avez eu grand tort de m'ôter ma bêtise et de me faire voir plus clair que je ne voyais. – Si un homme sans esprit, répondit Riquet à la houppe, serait bien reçu, comme vous venez de le dire, à vous reprocher votre manque de parole, pourquoi voulez-vous, madame, que je n'en use pas de même dans une chose où il y va de tout le bonheur de ma vie? Est-il raisonnable que les personnes qui ont de l'esprit soient d'une pire condition que ceux qui n'en ont pas? Le pouvez-vous prétendre, vous qui en avez tant et qui avez tant souhaité d'en avoir? Mais venons au fait, s'il vous plaît. À la réserve de ma laideur, y a-t-il quelque chose en moi qui vous déplaise? Êtes-vous mal contente de ma naissance, de mon esprit, de mon humeur et de mes manières? – Nullement, répondit la princesse, j'aime en vous tout ce que vous venez de me dire. – Si cela est ainsi, reprit Riquet à la houppe, je vais être heureux, puisque vous pouvez me rendre le plus aimable des hommes. – Comment cela se peut-il faire? lui dit la princesse. – Cela se fera, répondit Riquet à la houppe, si vous m'aimez assez pour souhaiter que cela soit et afin, madame, que vous n'en doutiez pas, sachez que la même fée qui, au jour de ma naissance, me fit le don de pouvoir rendre spirituelle qui me plairait, vous a aussi fait le don de pouvoir rendre beau celui que vous aimerez et à qui vous voudrez bien faire cette faveur. – Si la chose est ainsi, dit la princesse, je souhaite de tout mon cœur que vous deveniez le prince du monde le plus aimable et je vous en fais le don autant qu'il est en moi. »

La princesse n'eut pas plutôt prononcé ces paroles, que Riquet à la houppe parut à ses yeux l'homme du monde le plus beau, le mieux fait et

le plus aimable qu'elle eût jamais vu. Quelques-uns assurent que ce ne furent point les charmes de la fée qui opérèrent, mais que l'amour seul fit cette métamorphose. Ils disent que la princesse, ayant fait réflexion sur la persévérance de son amant, sur sa discrétion et sur toutes les bonnes qualités de son âme et de son esprit, ne vit plus la difformité de son corps, ni la laideur de son visage, que sa bosse ne lui sembla plus que le bon air d'un homme qui fait le gros dos et qu'au lieu que jusqu'alors elle l'avait vu boiter effroyablement, elle ne lui trouva plus qu'un certain air penché qui la charmait. Ils disent encore que ses yeux, qui étaient louches, ne lui en parurent que plus brillants, que leur dérèglement passa dans son esprit pour la marque d'un violent excès d'amour et qu'enfin son gros nez rouge eut pour elle quelque chose de martial et d'héroïque.

Quoi qu'il en soit, la princesse lui promit sur-le-champ de l'épouser, pourvu qu'il en obtînt le consentement du roi son père. Le roi ayant su que sa fille avait beaucoup d'estime pour Riquet à la houppe, qu'il connaissait d'ailleurs pour un prince très spirituel et très sage, le reçut avec plaisir pour son gendre. Dès le lendemain, les noces furent faites, ainsi que Riquet à la houppe l'avait prévu et selon les ordres qu'il en avait donnés longtemps auparavant.

Moralité

Ce que l'on voit dans cet écrit,
Est moins un conte en l'air que la vérité même;
Tout est beau dans ce que l'on aime,
Tout ce qu'on aime a de l'esprit.

Autre moralité

Dans un objet où la nature,
Aura mis de beaux traits, et la vive peinture
D'un teint où jamais l'art ne saurait arriver,
Tous ces dons pourront moins pour rendre un cœur sensible,
Qu'un seul agrément invisible
Que l'amour y fera trouver.

Peau-d'Âne

Il était une fois un roi si grand, si aimé de ses peuples, si respecté de tous ses voisins et de ses alliés, qu'on pouvait dire qu'il était le plus heureux de tous les monarques. Son bonheur était encore confirmé par le choix qu'il avait fait d'une princesse aussi belle que vertueuse et ces heureux époux vivaient dans une union parfaite. De leur chaste hymen était née une fille, douée de tant de grâces et de charmes, qu'ils ne regrettaient point de n'avoir pas une plus ample lignée.

La magnificence, le goût et l'abondance régnaient dans son palais: les ministres étaient sages et habiles; les courtisans, vertueux et attachés; les domestiques, fidèles et laborieux; les écuries, vastes et remplies des plus beaux chevaux du monde, couverts de riches caparaçons. Mais ce qui étonnait les étrangers qui venaient admirer ces belles écuries, c'est qu'au lieu le plus apparent, un maître âne étalait de longues et grandes oreilles. Ce n'était pas par fantaisie, mais avec raison que le roi lui avait donné une place particulière et distinguée. Les vertus de ce rare animal méritaient cette distinction, puisque la nature l'avait formé si extraordinaire que sa litière, au lieu d'être malpropre, était couverte, tous les matins, avec profusion, de beaux écus au soleil et de louis d'or de toute espèce qu'on allait recueillir à son réveil.

Or, comme les vicissitudes de la vie s'étendent aussi bien sur les rois que sur les sujets et que toujours les biens sont mêlés de quelques maux, le ciel permit que la reine fût tout à coup attaquée d'une âpre maladie, pour laquelle, malgré la science et l'habileté des médecins, on ne put trouver aucun secours. La désolation fut générale. Le roi, sensible et amoureux, malgré le proverbe fameux qui dit que l'hymen est le tombeau de l'amour, s'affligeait sans modération, faisait des vœux ardents à tous les temples de son royaume, offrait sa vie pour celle d'une épouse si chère; mais les dieux et les fées étaient invoqués en vain. La reine, sentant sa dernière heure approcher, dit à son époux qui fondait en larmes: « Trouvez bon, avant que je meure, que j'exige une chose de vous: c'est que, s'il prenait envie de vous remarier… » À ces mots, le roi fit des cris pitoyables, prit les mains de sa femme, les baigna de pleurs et, l'assurant qu'il était superflu de lui parler d'un second hyménée: « Non, non, dit-il enfin, ma chère reine, parlez-moi plutôt de vous suivre. – L'État, reprit la reine avec une

fermeté qui augmentait les regrets de ce prince, l'État doit exiger des successeurs et, comme je ne vous ai donné qu'une fille, vous presser d'avoir des fils qui vous ressemblent. Mais je vous demande instamment, par tout l'amour que vous avez eu pour moi, de ne céder à l'empressement de vos peuples que lorsque vous aurez trouvé une princesse plus belle et mieux faite que moi : j'en veux votre serment et alors je mourrai contente. »

On présume que la reine, qui ne manquait pas d'amour-propre, avait exigé ce serment, ne croyant pas qu'il fût au monde personne qui pût l'égaler, pensant bien que c'était s'assurer que le roi ne se remarierait jamais. Enfin elle mourut. Jamais mari ne fit tant de vacarme : pleurer, sangloter jour et nuit, menus droits du veuvage, furent son unique occupation.

Les grandes douleurs ne durent pas. D'ailleurs, les grands de l'État s'assemblèrent et vinrent en corps prier le roi de se remarier. Cette première proposition lui parut dure et lui fit répandre de nouvelles larmes. Il allégua le serment qu'il avait fait à la reine, défiant tous ses conseillers, de pouvoir trouver une princesse plus belle et mieux faite que feu sa femme, pensant que cela était impossible. Mais le conseil traita de babiole une telle promesse et dit qu'il importait peu de la beauté, pourvu qu'une reine fût vertueuse et point stérile ; que l'État demandait des princes pour son repos et sa tranquillité ; qu'à la vérité l'infante avait toutes les qualités requises pour faire une grande reine mais qu'il fallait lui choisir un étranger pour époux et qu'alors, ou cet étranger l'emmènerait chez lui, ou que s'il régnait avec elle, ses enfants ne seraient plus réputés du même sang et que, n'y ayant point de prince de son nom, les peuples voisins pourraient leur susciter des guerres qui entraîneraient la ruine du royaume. Le roi, frappé de ces considérations, promit qu'il songerait à les contenter.

Effectivement, il chercha, parmi les princesses à marier, qui serait celle qui pourrait lui convenir. Chaque jour, on lui apportait des portraits charmants, mais aucun n'avait les grâces de la feue reine : ainsi il ne se déterminait point. Malheureusement, il s'avisa de trouver que l'infante, sa fille, était non seulement belle et bien faite à ravir, mais qu'elle surpassait encore de beaucoup la reine sa mère en esprit et en agréments. Sa jeunesse, l'agréable fraîcheur de son beau teint enflamma le roi d'un feu si violent,

qu'il ne put le cacher à l'infante et il lui dit qu'il avait résolu de l'épouser, puisqu'elle seule pouvait le dégager de son serment.

La jeune princesse, remplie de vertu et de pudeur, pensa s'évanouir à cette horrible proposition. Elle se jeta aux pieds du roi son père et le conjura, avec toute la force qu'elle put trouver dans son esprit, de ne la pas contraindre à commettre un tel crime.

Le roi, qui s'était mis en tête ce bizarre projet, avait consulté un vieux druide, pour mettre la conscience de la princesse en repos. Ce druide, moins religieux qu'ambitieux, sacrifia, à l'honneur d'être confident d'un grand roi, l'intérêt de l'innocence et de la vertu, et s'insinua avec tant d'adresse dans l'esprit du roi, lui adoucit tellement le crime qu'il allait commettre, qu'il le persuada même que c'était une œuvre pie que d'épouser sa fille. Ce prince, flatté par les discours de ce scélérat, l'embrassa et revint d'avec lui plus entêté que jamais dans son projet : il fit donc ordonner à l'infante de se préparer à lui obéir.

La jeune princesse, outrée d'une vive douleur, n'imagina rien autre chose que d'aller trouver la fée des Lilas, sa marraine. Pour cet effet elle partit la même nuit dans un joli cabriolet attelé d'un gros mouton qui savait tous les chemins. Elle y arriva heureusement. La fée, qui aimait l'infante, lui dit qu'elle savait tout ce qu'elle venait lui dire, mais qu'elle n'eût aucun souci, rien ne pouvant lui nuire si elle exécutait fidèlement ce qu'elle allait lui prescrire. « Car, ma chère enfant, lui dit-elle, ce serait une grande faute que d'épouser votre père ; mais, sans le contredire, vous pouvez l'éviter : dites-lui que, pour remplir une fantaisie que vous avez, il faut qu'il vous donne une robe de la couleur du temps ; jamais avec tout son amour et son pouvoir, il ne pourra y parvenir. »

La princesse remercia bien sa marraine et, dès le lendemain matin, elle dit au roi ce que la fée lui avait conseillé et protesta qu'on ne tirerait d'elle aucun aveu qu'elle n'eût une robe couleur du temps. Le roi, ravi de l'espérance qu'elle lui donnait, assembla les plus fameux ouvriers et leur commanda cette robe sous la condition que s'ils ne pouvaient réussir, il les ferait tous pendre. Il n'eut pas le chagrin d'en venir à cette extrémité : dès le second jour, ils apportèrent la robe si désirée. L'empyrée n'est pas

d'un plus beau bleu lorsqu'il est ceint de nuages d'or, que cette belle robe lorsqu'elle fut étalée. L'infante en fut toute contristée et ne savait comment se tirer d'embarras. Le roi pressait la conclusion. Il fallut recourir encore à la marraine qui, étonnée de ce que son secret n'avait pas réussi, lui dit d'essayer d'en demander une de la couleur de la lune. Le roi, qui ne pouvait lui rien refuser, envoya chercher les plus habiles ouvriers et leur commanda si expressément une robe couleur de la lune, qu'entre ordonner et l'apporter, il n'y eut pas vingt-quatre heures…

L'infante, plus charmée de cette superbe robe que des soins du roi son père, s'affligea immodérément lorsqu'elle fut avec ses femmes et sa nourrice. La fée des Lilas, qui savait tout, vint au secours de l'affligée princesse et lui dit : « Ou je me trompe fort, ou je crois que si vous demandez une robe couleur de soleil, ou nous viendrons à bout de dégoûter le roi votre père car jamais on ne pourra parvenir à faire une pareille robe, ou nous gagnerons au moins du temps. »

L'infante en convint, demanda la robe et l'amoureux roi donna, sans regret, tous les diamants et les rubis de sa couronne pour aider à ce superbe ouvrage, avec ordre de ne rien épargner pour rendre cette robe égale au soleil. Aussi, dès qu'elle parut, tous ceux qui la virent déployée furent obligés de fermer les yeux, tant ils furent éblouis. C'est de ce temps que datent les lunettes vertes et les verres noirs. Que devint l'infante à cette vue ? Jamais on n'avait rien vu de si beau et de si artistement ouvré. Elle était confondue et, sous prétexte d'avoir mal aux yeux, elle se retira dans sa chambre, où la fée l'attendait, plus honteuse qu'on ne peut dire. Ce fut bien pis car, en voyant la robe du soleil, elle devint rouge de colère. « Oh! pour le coup, ma fille, dit-elle à l'infante, nous allons mettre l'indigne amour de votre père à une terrible épreuve. Je le crois bien entêté de ce mariage qu'il croit si prochain, mais je pense qu'il sera un peu étourdi de la demande que je vous conseille de lui faire : c'est la peau de cet âne qu'il aime si passionnément et qui fournit à toutes ses dépenses avec tant de profusion. Allez, ne manquez pas de lui dire que vous désirez cette peau. »

L'infante, ravie de trouver encore un moyen d'éluder un mariage qu'elle détestait, et qui pensait en même temps que son père ne pourrait

jamais se résoudre à sacrifier son âne, vint le trouver et lui exposa son désir pour la peau de ce bel animal. Quoique le roi fût étonné de cette fantaisie, il ne balança pas à la satisfaire. Le pauvre âne fut sacrifié et la peau galamment apportée à l'infante, qui, ne voyant plus aucun moyen d'éluder son malheur, s'allait désespérer lorsque sa marraine accourut : « Que faites-vous, ma fille ? lui dit-elle, voyant la princesse déchirant ses cheveux et meurtrissant ses belles joues ; voici le moment le plus heureux de votre vie. Enveloppez-vous de cette peau, sortez de ce palais et allez tant que terre pourra vous porter : lorsqu'on sacrifie tout à la vertu, les dieux savent en récompenser. Allez, j'aurai soin que votre toilette vous suive partout : en quelque lieu que vous vous arrêtiez, votre cassette, où seront vos habits et vos bijoux, suivra vos pas sous terre et voici ma baguette que je vous donne : en frappant la terre, quand vous aurez besoin de cette cassette, elle paraîtra à vos yeux, mais hâtez-vous de partir et ne tardez pas. »

L'infante embrassa mille fois sa marraine, la pria de ne pas l'abandonner, s'affubla de cette vilaine peau, après s'être barbouillée de suie de cheminée et sortit de ce riche palais sans être reconnue de personne.

L'absence de l'infante causa une grande rumeur. Le roi, au désespoir, qui avait fait préparer une fête magnifique, était inconsolable. Il fit partir plus de cent gendarmes et plus de mille mousquetaires pour aller à la quête de sa fille, mais la fée, qui la protégeait, la rendait invisible aux plus habiles recherches : ainsi il fallut bien s'en consoler.

Pendant ce temps, l'infante cheminait. Elle alla loin, bien loin, encore plus loin et cherchait partout une place ; mais quoique par charité on lui donnât à manger, on la trouvait si crasseuse que personne n'en voulait. Cependant, elle entra dans une belle ville, à la porte de laquelle était une métairie, dont la fermière avait besoin d'une souillon pour laver les torchons, nettoyer les dindons et l'auge des cochons. Cette femme, voyant cette voyageuse si malpropre, lui proposa d'entrer chez elle, ce que l'infante accepta de grand cœur, tant elle était lasse d'avoir tant marché. On la mit dans un coin reculé de la cuisine, où elle fut, les premiers jours, en butte aux plaisanteries grossières de la valetaille, tant sa peau d'âne

la rendait sale et dégoûtante. Enfin, on s'y accoutuma, d'ailleurs elle était si soigneuse de remplir ses devoirs que la fermière la prit sous sa protection. Elle conduisait les moutons, les faisait parquer au temps où il le fallait, elle menait les dindons paître avec une telle intelligence qu'il semblait qu'elle n'eût jamais fait autre chose : aussi tout fructifiait sous ses belles mains.

Un jour qu'assise près d'une claire fontaine, où elle déplorait souvent sa triste condition, elle s'avisa de s'y mirer, l'effroyable peau d'âne, qui faisait sa coiffure et son habillement, l'épouvanta. Honteuse de cet ajustement, elle se décrassa le visage et les mains, qui devinrent plus blanches que l'ivoire et son beau teint reprit sa fraîcheur naturelle. La joie de se trouver si belle lui donna envie de s'y baigner, ce qu'elle exécuta, mais il lui fallut remettre son indigne peau pour retourner à la métairie. Heureusement, le lendemain était un jour de fête, ainsi elle eut le loisir de tirer sa cassette, d'arranger sa toilette, de poudrer ses beaux cheveux et de mettre sa belle robe couleur du temps. Sa chambre était si petite que la queue de cette belle robe ne pouvait pas s'étendre. La belle princesse se mira et s'admira elle-même avec raison, si bien qu'elle résolut, pour se désennuyer, de mettre tour à tour ses belles robes, les fêtes et les dimanches, ce qu'elle exécuta ponctuellement. Elle mêlait des fleurs et des diamants dans ses beaux cheveux, avec un art admirable et souvent, elle soupirait de n'avoir pour témoins de sa beauté que ses moutons et ses dindons, qui l'aimaient autant avec son horrible peau d'âne, dont on lui avait donné le nom dans cette ferme.

Un jour de fête que Peau-d'Âne avait mis la robe couleur du soleil, le fils du roi, à qui cette ferme appartenait, vint y descendre pour se reposer, en revenant de la chasse. Ce prince était jeune, beau et admirablement bien fait, l'amour de son père et de la reine sa mère, adoré des peuples. On offrit à ce jeune prince une collation champêtre qu'il accepta, puis il se mit à parcourir les basses-cours et tous leurs recoins. En courant ainsi de lieu en lieu, il entra dans une sombre allée, au bout de laquelle il vit une porte fermée. La curiosité lui fit mettre l'œil à la serrure, mais que devint-il en apercevant la princesse si belle et si richement vêtue, qu'à son air noble et modeste il la prit pour une divinité ? L'impétuosité

du sentiment qu'il éprouva dans ce moment l'aurait porté à enfoncer la porte, sans le respect que lui inspira cette ravissante personne.

Il sortit avec peine de cette allée sombre et obscure, mais ce fut pour s'informer qui était la personne qui demeurait dans cette petite chambre. On lui répondit que c'était une souillon, qu'on nommait Peau-d'Âne à cause de la peau dont elle s'habillait et qu'elle était si sale et si crasseuse, que personne ne la regardait, ni ne lui parlait et qu'on ne l'avait prise que par pitié, pour garder les moutons et les dindons.

Le prince, peu satisfait de cet éclaircissement, vit bien que ces gens grossiers n'en savaient pas davantage, et qu'il était inutile de les questionner. Il revint au palais du roi son père, plus amoureux qu'on ne peut dire, ayant continuellement devant les yeux la belle image de cette divinité qu'il avait vue par le trou de la serrure. Il se repentit de n'avoir pas heurté à la porte et se promit bien de n'y pas manquer une autre fois. Mais l'agitation de son sang, causée par l'ardeur de son amour, lui donna, dans la même nuit, une fièvre si terrible, que bientôt il en fut réduit à l'extrémité. La reine sa mère, qui n'avait que lui d'enfant, se désespérait de ce que tous les remèdes étaient inutiles. Elle promettait en vain les plus grandes récompenses aux médecins : ils y employaient tout leur art, mais rien ne guérissait le prince.

Enfin, ils devinèrent qu'un mortel chagrin causait tout ce ravage. Ils en avertirent la reine, qui, toute pleine de tendresse pour son fils, vint le conjurer de dire la cause de son mal et, quand il s'agirait de lui céder la couronne, le roi son père descendrait de son trône sans regret pour l'y faire monter ; que s'il désirait quelque princesse, quand même on serait en guerre avec le roi son père et qu'on eût de justes sujets pour s'en plaindre, on sacrifierait tout pour obtenir ce qu'il désirait ; mais qu'elle le conjurait de ne pas se laisser mourir, puisque de sa vie dépendait la leur.

La reine n'acheva pas ce touchant discours sans mouiller le visage du prince d'un torrent de larmes. « Madame, lui dit enfin le prince avec une voix très faible, je ne suis pas assez dénaturé pour désirer la couronne de mon père, plaise au ciel qu'il vive de longues années et qu'il veuille bien que je sois longtemps le plus fidèle et le plus respectueux de ses sujets !

Quant aux princesses que vous m'offrez, je n'ai point encore pensé à me marier et vous pensez bien que, soumis comme je le suis à vos volontés, je vous obéirai toujours, quoi qu'il m'en coûte. – Ah! mon fils, reprit la reine, rien ne me coûtera pour te sauver la vie mais, mon cher fils, sauve la mienne et celle du roi ton père, en me déclarant ce que tu désires et sois bien assuré qu'il te sera accordé. – Eh bien! madame, dit-il, puisqu'il faut vous déclarer ma pensée, je vais vous obéir; je me ferais un crime de mettre en danger deux êtres qui me sont si chers. Oui, ma mère, je désire que Peau-d'Âne me fasse un gâteau et que, dès qu'il sera fait, on me l'apporte. »

La reine, étonnée de ce nom bizarre, demanda qui était cette Peau-d'Âne. « C'est, madame, reprit un de ses officiers qui par hasard avait vu cette fille, la plus vilaine bête après le loup, une peau noire, une crasseuse qui loge dans votre métairie et qui garde vos dindons. – N'importe, dit la reine, mon fils, au retour de la chasse, a peut-être mangé de la pâtisserie, c'est une fantaisie de malade: en un mot, je veux que Peau-d'Âne (puisque Peau-d'Âne il y a) lui fasse promptement un gâteau. »

On courut à la métairie et l'on fit venir Peau-d'Âne, pour lui ordonner de faire de son mieux un gâteau pour le prince.

Quelques auteurs ont assuré que Peau-d'Âne, au moment que ce prince avait mis l'œil à la serrure, les siens l'avaient aperçu; et puis, que regardant par sa petite fenêtre, elle avait vu ce prince si jeune, si beau et si bien fait, que l'idée lui en était restée et que souvent ce souvenir lui avait coûté quelques soupirs. Quoi qu'il en soit, Peau-d'Âne l'ayant vu, ou en ayant beaucoup entendu parler avec éloge, ravie de pouvoir trouver un moyen d'être connue, s'enferma dans sa chambre, jeta sa vilaine peau, se décrassa le visage et les mains, se coiffa de ses blonds cheveux, mit un beau corset d'argent brillant, un jupon pareil et se mit à faire le gâteau tant désiré. Elle prit de la plus pure farine, des œufs et du beurre bien frais. En travaillant, soit de dessein ou autrement, une bague qu'elle avait au doigt tomba dans la pâte, s'y mêla et dès que le gâteau fut cuit, s'affublant de son horrible peau, elle donna le gâteau à l'officier, à qui elle demanda

des nouvelles du prince, mais cet homme, ne daignant lui répondre, courut chez le prince lui porter ce gâteau.

Le prince le prit avidement des mains de cet homme et le mangea avec une telle vivacité que les médecins, qui étaient présents, ne manquèrent pas de dire que cette fureur n'était pas un bon signe : effectivement, le prince pensa s'étrangler par la bague qu'il trouva dans un des morceaux du gâteau. Mais il la tira adroitement de sa bouche et son ardeur à dévorer le gâteau se ralentit en examinant cette fine émeraude, montée sur un jonc d'or dont le cercle était si étroit qu'il jugea ne pouvoir servir qu'au plus joli petit doigt du monde.

Il baisa mille fois cette bague, la mit sous son chevet et l'en tirait à tout moment, quand il croyait n'être vu de personne. Le tourment qu'il se donna pour imaginer comment il pourrait voir celle à qui cette bague pouvait aller et n'osant croire, s'il demandait à Peau-d'Âne, qui avait fait ce gâteau qu'il avait demandé, qu'on lui accordât de la faire venir, n'osant non plus dire ce qu'il avait vu par le trou de la serrure, de crainte qu'on se moquât de lui et qu'on le prît pour un visionnaire ; toutes ces idées le tourmentant à la fois, la fièvre le reprit fortement et les médecins, ne sachant plus que faire, déclarèrent à la reine que le prince était malade d'amour.

La reine accourut chez son fils, avec le roi, qui se désolait : « Mon fils, mon cher fils, s'écria le monarque affligé, nomme-nous celle que tu veux, nous jurons que nous te la donnerons, fût-elle la plus vile des esclaves. » La reine, en l'embrassant, lui confirma le serment du roi. Le prince, attendri par les larmes et les caresses des auteurs de ses jours : « Mon père et ma mère, leur dit-il, je n'ai point dessein de faire une alliance qui vous déplaise et, pour preuve de cette vérité, dit-il en tirant l'émeraude de dessous son chevet, c'est que j'épouserai la personne à qui cette bague ira, telle qu'elle soit, et il n'y a pas apparence que celle qui aura ce joli doigt soit une rustaude ou une paysanne. »

Le roi et la reine prirent la bague, l'examinèrent curieusement et jugèrent, ainsi que le prince, que cette bague ne pouvait aller qu'à quelque fille de bonne maison. Alors le roi ayant embrassé son fils, en le conjurant

de guérir, sortit, fit sonner les tambours, les fifres et les trompettes par toute la ville et crier par ses hérauts, que l'on n'avait qu'à venir au palais essayer une bague et que celle à qui elle irait juste épouserait l'héritier du trône.

Les princesses d'abord arrivèrent, puis les duchesses, les marquises et les baronnes, mais elles eurent beau toutes s'amenuiser les doigts, aucune ne put mettre la bague. Il en fallut venir aux grisettes qui, toutes jolies qu'elles étaient, avaient toutes les doigts trop gros. Le prince, qui se portait mieux, faisait lui-même l'essai. Enfin, on en vint aux filles de chambre : elles ne réussirent pas mieux. Il n'y avait plus personne qui n'eût essayé cette bague, sans succès, lorsque le prince demanda les cuisinières, les marmitonnes, les gardeuses de moutons : on amena tout cela, mais leurs gros doigts rouges et courts ne purent seulement aller au-delà l'ongle.

« A-t-on fait venir cette Peau-d'Âne, qui m'a fait un gâteau ces jours derniers ? » dit le prince. Chacun se prit à rire et lui dit que non, tant elle était sale et crasseuse. « Qu'on l'aille chercher tout à l'heure, dit le roi, il ne sera pas dit que j'aie excepté quelqu'un. » On courut, en riant et se moquant, chercher la dindonnière.

L'infante, qui avait entendu les tambours et le cri des hérauts d'armes, s'était bien doutée que sa bague faisait ce tintamarre : elle aimait le prince et, comme le véritable amour est craintif et n'a point de vanité, elle était dans la crainte continuelle que quelque dame n'eût le doigt aussi menu que le sien. Elle eut donc une grande joie quand on vint la chercher et qu'on heurta à sa porte. Depuis qu'elle avait su qu'on cherchait un doigt propre à mettre sa bague, je ne sais quel espoir l'avait portée à se coiffer plus soigneusement et à mettre son beau corps d'argent, avec le jupon plein de falbalas, de dentelles d'argent, semé d'émeraudes. Sitôt qu'elle entendit qu'on heurtait à la porte et qu'on l'appelait pour aller chez le prince, elle remit promptement sa peau d'âne, ouvrit sa porte et ces gens, en se moquant d'elle, lui dirent que le roi la demandait pour lui faire épouser son fils. Puis, avec de longs éclats de rire, ils la menèrent chez le prince qui, lui-même, étonné de l'accoutrement de cette fille, n'osa croire

que ce fût elle qu'il avait vue si pompeuse et si belle. Triste et confondu de s'être si lourdement trompé : « Est-ce vous, lui dit-il, qui logez au fond de cette allée obscure, dans la troisième basse-cour de la métairie ? – Oui, seigneur, répondit-elle. – Montrez-moi votre main, dit-il en tremblant et poussant un profond soupir... »

Dame ! qui fut bien surpris ? Ce furent le roi et la reine, ainsi que tous les chambellans et les grands de la cour, lorsque de dessous cette peau noire et crasseuse sortit une petite main délicate, blanche et couleur de rose, où la bague s'ajusta sans peine au plus joli petit doigt du monde et, par un petit mouvement que l'infante se donna, la peau tomba et elle parut d'une beauté si ravissante que le prince, tout faible qu'il était, se mit à ses genoux et les serra avec une ardeur qui la fit rougir. Mais on ne s'en aperçut presque pas, parce que le roi et la reine vinrent l'embrasser de toute leur force et lui demander si elle voulait bien épouser leur fils. La princesse, confuse de tant de caresses et de l'amour que lui marquait ce beau jeune prince, allait cependant les en remercier, lorsque le plafond s'ouvrit et que la fée des Lilas, descendant dans un char fait de branches et de fleurs de son nom, conta, avec une grâce infinie, l'histoire de l'infante.

Le roi et la reine, charmés de voir que Peau-d'Âne était une grande princesse redoublèrent leurs caresses, mais le prince fut encore plus sensible à la vertu de la princesse et son amour s'accrut par cette connaissance.

L'impatience du prince pour épouser la princesse fut telle qu'à peine se donna-t-il le temps de faire les préparatifs convenables pour cet auguste hyménée. Le roi et la reine, qui étaient affolés de leur belle-fille, lui faisaient mille caresses et la tenaient incessamment dans leurs bras. Elle avait déclaré qu'elle ne pouvait épouser le prince sans le consentement du roi son père : aussi fut-il le premier à qui on envoya une invitation, sans lui dire quelle était l'épousée ; la fée des Lilas, qui présidait à tout, comme de raison, l'avait exigé à cause des conséquences. Il vint des rois de tous les pays : les uns en chaise à porteurs, d'autres en cabriolets, de plus éloignés, montés sur des éléphants, sur des tigres, sur des aigles, mais le plus magnifique et le plus puissant fut le père de l'infante qui, heureusement, avait oublié son amour déréglé et avait épousé une reine veuve,

fort belle, dont il n'avait point eu d'enfant. L'infante courut au-devant de lui : il la reconnut aussitôt et l'embrassa avec une grande tendresse, avant qu'elle eût le temps de se jeter à ses genoux. Le roi et la reine lui présentèrent leur fils, qu'il combla d'amitiés. Les noces se firent avec toute la pompe imaginable. Les jeunes époux, peu sensibles à ces magnificences, ne virent et ne regardèrent qu'eux.

Le roi, père du prince, fit couronner son fils ce même jour et, lui baisant la main, le plaça sur le trône ; malgré la résistance de ce fils si bien né, il lui fallut obéir. Les fêtes de cet illustre mariage durèrent près de trois mois ; mais l'amour des deux époux durerait encore, tant ils s'aimaient, s'ils n'étaient pas morts cent ans après.

Les Fées

Il était une fois une veuve qui avait deux filles : l'aînée lui ressemblait si fort et d'humeur et de visage que, qui la voyait, voyait la mère. Elles étaient toutes deux si désagréables et si orgueilleuses, qu'on ne pouvait vivre avec elles. La cadette, qui était le vrai portrait de son père pour la douceur et pour l'honnêteté, était avec cela une des plus belles filles qu'on eût su voir. Comme on aime naturellement son semblable, cette mère était folle de sa fille aînée et en même temps avait une aversion effroyable pour la cadette. Elle la faisait manger à la cuisine et travailler sans cesse.

Il fallait, entre autres choses, que cette pauvre enfant allât, deux fois le jour, puiser de l'eau à une grande demi-lieue du logis et qu'elle en rapportât plein une grande cruche. Un jour qu'elle était à cette fontaine, il vint à elle une pauvre femme qui la pria de lui donner à boire. « Oui-da, ma bonne mère, dit cette belle fille » et, rinçant aussitôt sa cruche, elle puisa de l'eau au plus bel endroit de la fontaine et la lui présenta, soutenant toujours la cruche, afin qu'elle bût plus aisément. La bonne femme, ayant bu, lui dit : « Vous êtes si belle, si bonne et si honnête que je ne puis m'empêcher de vous faire un don (car c'était une fée qui avait pris la forme d'une pauvre femme de village, pour voir jusqu'où irait l'honnêteté de cette jeune fille). Je vous donne pour don, poursuivit la fée, qu'à chaque parole que vous direz, il vous sortira de la bouche ou une fleur, ou une pierre précieuse. »

Lorsque cette belle fille arriva au logis, sa mère la gronda de revenir si tard de la fontaine. « Je vous demande pardon, ma mère, dit cette pauvre fille, d'avoir tardé si longtemps et, en disant ces mots, il lui sortit de la bouche deux roses, deux perles et deux gros diamants. – Que vois-je ? dit sa mère tout étonnée, je crois qu'il lui sort de la bouche des perles et des diamants ; d'où vient cela, ma fille ? » (Ce fut là la première fois qu'elle l'appela sa fille.) La pauvre enfant lui raconta naïvement tout ce qui lui était arrivé, non sans jeter une infinité de diamants. « Vraiment, dit la mère, il faut que j'y envoie ma fille. Tenez, Fanchon, voyez ce qui sort de la bouche de votre sœur quand elle parle, ne seriez-vous pas bien aise d'avoir le même don ? Vous n'avez qu'à aller puiser de l'eau à la fontaine et quand une pauvre femme vous demandera à boire, lui en

donner bien honnêtement. – Il me ferait beau voir, répondit la brutale, aller à la fontaine! – Je veux que vous y alliez, reprit la mère et tout à l'heure. »

Elle y alla, mais toujours en grondant. Elle prit le plus beau flacon d'argent qui fût dans le logis. Elle ne fut pas plutôt arrivée à la fontaine qu'elle vit sortir du bois une dame magnifiquement vêtue, qui vint lui demander à boire. C'était la même fée qui avait apparu à sa sœur mais qui avait pris l'air et les habits d'une princesse, pour voir jusqu'où irait la malhonnêteté de cette fille. « Est-ce que je suis ici venue, lui dit cette brutale orgueilleuse, pour vous donner à boire? Justement, j'ai apporté un flacon d'argent tout exprès pour donner à boire à madame! J'en suis d'avis: buvez à même si vous voulez. – Vous n'êtes guère honnête, reprit la fée, sans se mettre en colère. Eh bien! puisque vous êtes si peu obligeante, je vous donne pour don qu'à chaque parole que vous direz, il vous sortira de la bouche ou un serpent ou un crapaud. »

D'abord que sa mère l'aperçut, elle lui cria: « Eh bien! ma fille? – Eh bien, ma mère? lui répondit la brutale, en jetant deux vipères et deux crapauds. – Ô ciel! s'écria la mère, que vois-je là? C'est sa sœur qui en est cause: elle me le payera. » Et aussitôt elle courut pour la battre. La pauvre enfant s'enfuit et alla se sauver dans la forêt prochaine. Le fils du roi, qui revenait de la chasse, la rencontra et, la voyant si belle, lui demanda ce qu'elle faisait là toute seule et ce qu'elle avait à pleurer. « Hélas! monsieur, c'est ma mère qui m'a chassée du logis. » Le fils du roi, qui vit sortir de sa bouche cinq ou six perles et autant de diamants, la pria de lui dire d'où cela lui venait. Elle lui raconta toute son aventure. Le fils du roi en devint amoureux et considérant qu'un tel don valait mieux que tout ce qu'on pouvait donner en mariage à une autre, l'emmena au palais du roi son père où il l'épousa.

Pour sa sœur, elle se fit tant haïr que sa propre mère la chassa de chez elle et la malheureuse, après avoir bien couru sans trouver personne qui voulût la recevoir, alla mourir au coin d'un bois.

⸺

Moralité

Les diamants et les pistoles

Peuvent beaucoup sur les esprits;

Cependant les douces paroles

Ont encore plus de force, et sont d'un plus grand prix.

Autre moralité

L'honnêteté coûte des soins,

Elle veut un peu de complaisance,

Mais tôt ou tard elle a sa récompense,

Et souvent dans le temps qu'on y pense le moins.